PAROLE
10 PERCORSI NEL LESSICO ITALIANO

Serena Ambroso

Giovanna Stefancich

PAROLE

10 percorsi nel lessico italiano

esercizi guidati

3ª edizione

Bonacci editore

Bonacci editore

Via Paolo Mercuri, 8 – 00193 Roma
(ITALIA)
tel. 06/68.30.00.04 – fax 06/68.80.63.82
e-mail: bonacci@flashnet.it

© Bonacci editore, Roma 1993
ISBN 88-7573-257-4

Parole si propone di guidare il discente nei meandri abbastanza ine-splorati del lessico italiano.

Si propone di dare consapevolezza della rete dei rapporti esistenti fra le parole, di attivare conoscenze lessicali già esistenti, e di offrire lessi-co nuovo.

Tra le vaste problematiche relative al lessico - aspetto centrale seppure a tutt'oggi molto trascurato dell'insegnamento linguistico - *Parole* ha individuato dieci diversi percorsi in aree diverse: 1. **Antonimia** (rap-porti di opposizione fra le parole), 2. **Sinonimia** (identità di significato in parole diverse), 3. **Intensità** (i diversi gradi di forza semantica), 4. **Collocazione** (i modi obbligati in cui le parole si associano), 5. **Poli-semia** (più significati in una stessa parola), 6. **Inclusione** (rapporti fra parole generiche e specifiche), 7. **Connotazione** (le parole possono avere colorazioni emotive), 8. **Metafora** (il significato figurato che le parole possono assumere), 9. **Derivazione** (il meccanismo che consen-te di formare parole da altre), 10. **Residui e prestiti** (parole ereditate o importate da altre lingue).

Il libro si divide dunque in dieci parti corrispondenti a dieci gruppi di esercizi, numerosi e il più possibile variati, che ruotano intorno a cia-scuno dei dieci temi prescelti affrontandoli da angolazioni diverse.

Ogni gruppo di esercizi è preceduto da una breve introduzione che, senza nessuna pretesa di esaurire l'argomento, si offre al discente come guida a qualche riflessione teorica.

L'ultima sezione contiene le chiavi di tutti gli esercizi.

Parole si rivolge a studenti di italiano come L2 con competenze diver-sificate, giacché la difficoltà degli esercizi non è omogenea nemmeno all'interno di ciascun blocco. Qualche esercizio può essere utilmente proposto anche a veri e propri principianti, mentre altri presuppongo-no conoscenze linguistiche più sviluppate. Il libro non si basa su anali-si contrastive con altre lingue e pertanto non è diretto a nessun gruppo

Antonimia

Sinonimia

Intensità

Collocazione

Polisemia

Inclusione

Connotazione

Metafora

Derivazione

Residui e prestiti

linguistico in particolare. Presenta una lingua neutra, mai marcata, e quindi non si propone per apprendimenti con scopi specifici.

Non offrendo solo soluzioni di, ma anche riflessioni su, può essere consigliato anche a studenti di L1 che mirano ad una maggiore consapevolezza linguistica.

Proprio perché per ogni esercizio viene offerta una chiave di soluzione, si presta anche all'autoistruzione.

Parole trae la sua ragione per nascere dalla convinzione sempre più diffusa in glottodidattica che anche il lessico ha una sua grammatica, che si può e si deve insegnare e che ha importanza non secondaria nell'apprendimento di una lingua. Presume inoltre di essere uno strumento didattico nuovo, almeno per quanto riguarda l'italiano come lingua straniera.

Parole non intende in nessun modo sostituire un corso di lingua, ma si ritaglia utili spazi in situazioni di insegnamento anche molto diverse per livello, metodo e obiettivo. Sul suo utilizzo in realtà specifiche preferisce non dare norme: starà all'insegnante stabilire l'incidenza del lavoro con le 'parole' sulla sua didattica generale. Giova comunque ricordare che i dieci gruppi di esercizi proposti non rispecchiano sequenze preordinate di apprendimento né sono interdipendenti. Il loro ordine non è quindi vincolante e i punti e momenti di raccordo con il lavoro che si sta svolgendo andranno individuati di volta in volta.

Anche all'interno di ogni singolo gruppo sarà più profittevole affrontare il problema lessicale contingente attraverso dei mini percorsi che tengano conto della maggiore o minore difficoltà vuoi linguistica vuoi concettuale che gli esercizi presentano. Anche se affrontati pochi per volta, essi potranno servire a chiarire un dubbio, riempire un vuoto, attivare un meccanismo, sviluppare un punto.

Le introduzioni teoriche ai blocchi di esercizi si propongono come punto di partenza per andare al di là dei fatti linguistici e ragionarci sopra. Qualora creassero difficoltà perché il livello linguistico non è quello degli esercizi che poi seguono, potranno essere usate dall'insegnante come retroterra cui riferirsi egli stesso, salvo poi ritornarvi con la classe come momento conclusivo di un processo di apprendimento circolare.

La grande maggioranza degli esercizi richiede capacità di riconoscimento - e non di produzione - in quanto le soluzioni sono quasi sempre presenti già all'interno degli esercizi stessi, sia pure date alla rinfusa. Questo non significa che non esistano altre varianti corrette o comunque accettabili, che dovrebbero anzi venire incoraggiate dall'insegnante e diventare oggetto di discussione in classe.

Ciò nonostante, la presenza di vere e proprie chiavi di soluzione permette l'utilizzo completo del volume anche a chi, per motivi diversi, voglia o debba lavorare da solo e da solo controllare e valutare il livello delle proprie acquisizioni.

Parole è frutto di idee, discussioni, lavoro preparatorio comune delle due autrici. Tuttavia **Giovanna Stefancich** ha realizzato 1. *Antonimia*, 3. *Intensità*, 4. *Collocazione*, 7. *Connotazione* e 8. *Metafora* , mentre 2. *Sinonimia*, 5. *Polisemia*, 6. *Inclusione*, 9. *Derivazione* e *10. Residui e Prestiti* sono opera di **Serena Ambroso**.

Antonimia

Sinonimia

Intensità

Collocazione

Polisemia

Inclusione

Connotazione

Metafora

Derivazione

Residui e prestiti

Indice

Antonimia

Sinonimia

Intensità

Collocazione

Polisemia

Inclusione

Connotazione

Metafora

Derivazione

Residui e prestiti

1. Antonimia

1. ANTONIMIA

OPPOSTI

Tra le parole esistono relazioni di significato. Uno dei rapporti più regolari e naturali per il parlante è quello chiamato di antonimia, che si instaura fra parole che hanno significato opposto tra di loro e costituisce un aspetto fondamentale del funzionamento di una lingua.

Le coppie di antonimi o contrari più frequenti, relativi a rapporti spaziali ('su e giù', 'sopra e sotto', 'avanti e indietro', etc.), a qualità fisiche ('alto e basso', 'largo e stretto', 'corto e lungo', etc.) e a categorie morali e estetiche ('bene e male', 'bello e brutto', 'buono e cattivo', etc.) si trovano alla base stessa della nostra percezione ed esperienza del mondo. Quando usiamo o sentiamo usare una parola ci capita spesso di avere presente in contemporanea il suo contrario: tanto è vero che molte parole opposte vanno a formare binomi fissi e irreversibili, non sempre corrispondenti per l'ordine a quelli di altre lingue, ('andata e ritorno', 'prendere o lasciare', 'giorno e notte', 'bianco e nero', e così via) o addirittura si uniscono in una parola sola ('sottosopra', 'saliscendi', 'pianoforte', etc.).

Occorre tuttavia osservare che i tipi di antonimia o opposizione, pur raggruppabili sotto la stessa etichetta, sono alquanto diversi. Per cominciare vediamo che aggettivi come 'grasso' e 'magro' hanno sì significato opposto ma esiste fra loro tutta una serie di gradi intermedi di 'grassezza' e 'magrezza' ('più grasso', 'meno grasso', 'grassottello', 'magrolino', etc.) come del resto in 'malato e sano', 'facile e difficile', 'veloce e lento' e così via. Diverso è il rapporto di antonimia che implica un'esclusione: chi è 'morto' non può essere 'vivo', così come chi è 'sposato' non può essere 'scapolo', né può essere 'aperto' ciò che è 'chiuso' (nonostante la presenza nella lingua di espressioni come 'mezzo morto', 'vivissimo', 'più sposato che mai', 'socchiuso', etc.). Un ulteriore tipo comporta un rapporto inverso, di solito tra ruoli sociali reciproci. Così, se il dott. Chiappini è il 'dentista' della signora Lavacci, la signora Lavacci sarà per forza una 'paziente' del dott. Chiappini e se il signor Giacomoni 'ha venduto' un appartamento all'ing. Lucci, vorrà dire che l'ing. Lucci 'ha comprato' l'appartamento dal signor Giacomoni.

A volte il rapporto di contrasto è solo culturale: i due colori 'rosa' e 'celeste' non sono una coppia fissa di antonimi, ma lo diventano nel contesto particolare dato

Antonimia

Sinonimia

Intensità

Collocazione

Polisemia

Inclusione

Connotazione

Metafora

Derivazione

Residui e prestiti

da 'fiocco rosa / fiocco celeste' visto l'uso anche italiano di appendere sulla porta di casa un fiocco rosa o un fiocco celeste a seconda che sia nata una femminuccia o un maschietto.

Altre volte il contrasto è legato a fatti, momenti, luoghi specifici. Ad esempio, la coppia 'fascisti / partigiani' esiste solo nell'ambito storico della Resistenza italiana (1943-45) e si perde del tutto in altri contesti. Spazia in un ambito storico e geografico più vasto la coppia 'monarchia / repubblica' ma anch'essa sta perdendo oggi molta della sua contrastività. La stessa coppia 'militare / civile', pur attualissima, non ha la stessa frequenza e forza che durante una guerra (i 'militari' e i 'civili', 'obiettivo militare' e 'obiettivo civile', etc.).

Negli assai numerosi casi di polisemia (molti significati di un solo termine) i contrari della parola saranno diversi per ciascuno dei suoi significati. Il contrario di 'attaccare' è infatti 'staccare' se si tratta di un francobollo o di un'etichetta o di un quadro appeso al muro, mentre è 'difendersi' se si parla di una lotta o di una lite. Il contrario di 'vecchio' sarà 'nuovo' per 'un vestito <u>vecchio</u>' e 'giovane' invece per 'un uomo <u>vecchio</u>'. Nel caso poi di 'un postino <u>vecchio</u>' potremo avere entrambi i contrari: 'un postino <u>giovane</u>' o 'un postino <u>nuovo</u>' a seconda che di questa persona vogliamo significare l'età o la durata nel tempo dell'incarico.

È possibile formare antonimi anche attraverso meccanismi morfologici. Sono molto comuni i prefissi *in -*, *s -*, *dis -*: '<u>in</u>completo' è il contrario di 'completo', '<u>s</u>comodo' è il contrario di 'comodo', '<u>dis</u>onesto' di 'onesto'. Ma occorre stare attenti perché non c'è sempre regolarità nella formazione di queste parole e si corre il rischio di qualche equivoco: *in -* non funziona con i verbi ('investire' <u>non</u> è il contrario di 'vestire') e anche 'scadente', tanto per fare un esempio, non è certo il contrario di 'cadente' né 'distinto' è il contrario di 'tinto'. Anche con altre marche di contrasto, comunque più rare, come *a-*, *extra -*, *inter -*, *ultra -*, etc. bisogna fare altrettanta e più attenzione. Le stesse precauzioni valgono per parole formate con coppie di antonimi come *sopra -* (o *sovra-*) / *sotto -* o *bene-/male -*: sono pienamente accettabili '<u>sotto</u>stante/<u>sovra</u>stante', '<u>bene</u>dire'/'<u>male</u>dire', ma '<u>bene</u>ssere' e '<u>male</u>ssere' oppure '<u>bene</u>ficio' e '<u>male</u>ficio', nella lingua d'oggi, non sono affatto l'uno il contrario dell'altro.

Antonimia
Sinonimia
Intensità
Collocazione
Polisemia
Inclusione
Connotazione
Metafora
Derivazione
Residui e prestiti

1 *Riempite gli spazi vuoti con gli abituali contrari delle parole qui elencate.*

1. arrivi — *partenze*
2. *davanti* — dietro
3. *entrata* — uscita
4. *su* — giù
5. aperto — *chiuso*
6. *alto* — basso
7. uomini — *donne*
8. salita — *discesa*
9. *dentro* — fuori
10. *destra* — sinistra
11. nord — *sud*
12. *riparto andata* — ritorno
13. prima — *ultima / dopo*
14. lento — *veloce*
15. *vicino* — lontano
16. feriale — *vacanza*
17. avanti — *indietro*
18. pieno — *vuoto*
19. diurno — *notturno*
20. caldo — *freddo*

2 *Riempite gli spazi vuoti con gli abituali contrari delle parole qui elencate.*

1. inizio — *fine*
2. cercare — *trovare*
3. *attivo* — passivo
4. *comprare* — vendere
5. sì — *no*
6. vero — *falso*
7. interno — *esterno*
8. *più* — meno
9. *ricco* — povero
10. *con* — senza
11. aumentare — *diminuire*
12. *maschile* — femminile
13. *amico* — nemico
14. giovane — *vecchio*
15. nuovo — *antico / vecchio*
16. malato — *sano*
17. bene — *male*
18. piccolo — *grande*
19. incluso — *escluso*
20. *fortuna* — disgrazia

3 *Alcune marche formali usate per formare contrari sono i prefissi* in- *(con le varianti ortografiche* im-, ir-, *e* il-*),* dis- *e* s-*. Indicate nello spazio apposito con quale di questi prefissi formano il contrario le parole che seguono.*

1. fortunato — *sfortunato*
2. accordo — *disaccordo*
3. possibile — *impossibile*
4. mortale — *immortale*
5. regolare — *irregolare*
6. lecito — *illecito*
7. gratitudine — *ingratitudine*
8. moralità — *immoralità*
9. sufficiente — *insufficiente*
10. logico — *illogico*
11. consigliare — *sconsigliare*
12. onestà — *disonestà*
13. probabile — *improbabile*
14. inibito — *disinibito*
15. razionalità — *irrazionalità*
16. onorare — *disonorare*
17. conosciuto — *sconosciuto*
18. capacità — *incapacità*
19. comporre — *scomporre*
20. piacere — *dispiacere*
21. felicità — *infelicità*
22. cortese — *scortese*
23. fedele — *infedele*
24. attento — *disattento*

4 Dopo aver osservato le parti sottolineate, formate il contrario delle espressioni che seguono.

1. era di <u>buon</u>umore ___malumore___
2. uno sguardo <u>bene</u>volo ___malevolo___
3. è stata una <u>male</u>dizione ___benedizione___
4. un problema <u>soprav</u>valutato ___sottovvalutato___
5. l'ho trovato <u>sovrap</u>peso ___sottopeso___
6. la collina <u>sovra</u>stante ___sottostante___
7. il periodo <u>pre</u>-bellico ___post-bellico___
8. il periodo <u>post</u>-rivoluzionario ___pre-rivoluzionario___
9. un ragazzo <u>simpatico</u> ___antipatico___
10. una coppia di <u>antonimi</u> ___sinonimi___

5 Formate il contrario delle parole sottolineate nelle espressioni seguenti utilizzando i prefissi qui dati.

1. un fenomeno <u>naturale</u> ___sovranaturale___
2. un paese <u>sviluppato</u> ___sottosviluppato___
3. una relazione <u>coniugale</u> ___extraconiugale___
4. un cittadino <u>comunitario</u> ___extracomunitario___
5. voli <u>nazionali</u> ___internazionali___
6. una telefonata <u>urbana</u> ___interurbana___
7. un paese <u>europeo</u> ___extraeuropeo___
8. trasporti <u>urbani</u> ___interurbani___
9. un'assemblea <u>ordinaria</u> ___straordinaria___
10. la vita <u>terrena</u> ___ultraterrena___
11. una situazione <u>normale</u> ___abnormale___
12. una bevanda <u>alcolica</u> ___analcolica___

> a(n)- / inter-
> sovra- / sotto-
> ultra- / stra-
> extra-

6 Raggruppate le seguenti parole in coppie che rappresentano contrapposizioni abituali.

> largo / pulito / migliore / debole / bello /
> lungo / buono / corto / sporco / maggiore / facile /
> ottimo / difficile / cattivo / stretto / brutto / forte /
> pessimo / minore / peggiore

1. ___largo / stretto___
2. ___pulito / sporco___ ✓
3. ___migliore / peggiore___ ✓
4. ___debole / forte___ ✓
5. ___bello / brutto___ ✓
6. ___lungo / corto___ ✓
7. ___buono / cattivo___ ✓
8. ___maggiore / minore___ ✓
9. ___facile / difficile___
10. ___ottimo / pessimo___ ✓

Antonimia

Sinonimia

Intensità

Collocazione

Polisemia

Inclusione

Connotazione

Metafora

Derivazione

Residui e prestiti

7 *Completate le frasi seguenti con i contrari degli elementi sottolineati.*

1. In quella casa c'è un continuo <u>andare</u> e _____venire_____ di gente.
2. Il loro rapporto è un misto di <u>amore</u> e _____odio_____.
3. Eva colse la mela dall'albero del <u>Bene</u> e del _____Male_____.
4. Lo abbiamo assistito <u>giorno</u> e _____notte_____.
5. Ho comprato un biglietto di <u>andata</u> e _____ritorno_____.
6. <u>Presto</u> o _____Tardi_____ ti pentirai di quello che hai detto.
7. Questa giacca si può portare sia al <u>dritto</u> che al _____rovescio_____.
8. Durante la perquisizione hanno messo la casa <u>sotto</u> _____sopra_____.
9. In quel disegno c'è un bell'effetto di <u>chiaro</u> _e scuro_____.
10. Ho trovato questo anello in spiaggia, proprio sul <u>bagna</u> _____asciuga_____.

8 *Nei mini-dialoghi che seguono terminate le battute di **B** con parole in contrasto con quelle sottolineate in **A**.*

1. A. Hai detto che è stato <u>premiato</u>?
   B. No, al contrario, è stato _____punito_____.
2. A. Hai detto che i buoni vanno all'<u>inferno</u>?
   B. No, al contrario, vanno in _____paradiso_____.
3. A. Chi paga più tasse? I lavoratori <u>autonomi</u>?
   B. No, al contrario, i lavoratori _____indipendenti_____.
4. A. A quel punto che cosa hai fatto? Hai <u>accelerato</u>?
   B. No, al contrario, ho _____rallentato_____.
5. A. Credi che sia <u>innocente</u>?
   B. No, al contrario, per me è _____colpevole_____.
6. A. Nel 1946 hai votato per la <u>monarchia</u>?
   B. No, al contrario, ho votato per la _____repubblica_____.
7. A. Le analisi sono risultate <u>positive</u>?
   B. No, al contrario, sono _____negative_____.
8. A. Chi vede male da lontano è <u>presbite</u>?
   B. No, al contrario, è _____miope (short sighted)_____.

9 *Raggruppate le seguenti parole in coppie che in alcuni usi della lingua formano contrapposizioni abituali.*

vita / vincere / totale / torto / sonno / vizio / guerra / militare / giorno / ragione / anticipo / parziale / civile / notte / morte / perdere / pace / veglia / ritardo / virtù

1. _____vita / morte_____
2. _____vincere / perdere_____
3. _____totale / parziale_____
4. _____torto / ragione_____
5. _____sonno / veglia_____
6. _____vizio / virtù_____
7. _____guerra / pace_____
8. _____militare / civile_____
9. _____giorno / notte_____
10. _____ritardo / anticipo_____

10 *Raggruppate le seguenti parole in coppie che in alcuni usi della lingua formano contrapposizioni abituali.*

costi / diritti / decollo / pubblico / civile / privato / veniale / atterraggio / pro / benefici / domanda / tutto / penale / doveri / pensiero / offerta / azione / niente / contro / mortale

1. _costi / benefici_   2. _veniale / mortale_
3. _diritti / doveri_   4. _niente / tutto_
5. _decollo / atterraggio_ 6. _pro / contro_
7. _pubblico / privato_   8. _domanda / offerta_
9. _civile / penale_   10. _azione / pensiero_

11 *Fornite un possibile contrario delle seguenti parole ed espressioni sottolineate.*

1. il volume era al massimo — _al minimo_
2. un televisore a colori — _bianco e nero_
3. un vaso intero — _a pezzi / rotto_
4. il Settentrione (del Nord) — _Meridionale (del sud)_
5. viva l'Inter! — _abbasso_
6. un numero pari (even) — _dispari (odd)_
7. un angolo acuto — _ottuso_
8. un ragionamento ottuso — _acuto_
9. gli arti superiori — _inferiori_
10. verdura cruda (raw) — _cotta_
11. un'esperienza da dimenticare — _da ricordare / indimenticabile_
12. una proposta da rifiutare — _d'accettare_
13. arrivare presto — _tardi_
14. vuotare il bicchiere — _riempire_
15. l'anno precedente — _prossimo / seguente_
16. la settimana scorsa — _prossima_
17. i paesi orientali — _occidentali_
18. andava verso est — _ovest_
19. gioca all'attacco — _in difesa_
20. un prodotto innocuo — _pericoloso / nocivo_

12 *Per i seguenti aggettivi date contrari diversi a seconda dei mini-contesti in cui sono inseriti.*

Esempio: una valigia leggera *ha per contrario* una valigia pesante
            un film leggero *ha per contrario* un film impegnato

1. una risposta giusta   una sentenza giusta
   una risposta _sbagliata_   una sentenza _ingiusta_

18

Antonimia
Sinonimia
Intensità
Collocazione
Polisemia
Inclusione
Connotazione
Metafora
Derivazione
Residui e
prestiti

2. un gatto <u>vivo</u>   un colore <u>vivo</u>
    un gatto _morto_   un colore _spento/scuro_

3. pane <u>fresco</u>   mente <u>fresca</u>
    pane _maturo_   mente _stanca_

4. un frutto <u>maturo</u>   un ragazzo <u>maturo</u>
    un frutto _acerbo (unripe)_   un ragazzo _immaturo_

5. una luce <u>accesa</u>   una discussione <u>accesa</u>
    una luce _spenta_   una discussione _calma/morta_
                                             pacata

6. una recensione <u>favorevole</u>   un voto <u>favorevole</u>
    una recensione _sfavorevole_   un voto _contrario_

7. un luogo <u>sicuro</u>   una notizia <u>sicura</u>
    un luogo _insicuro_   una notizia _falsa/incerta_

8. una persona <u>fantastica</u>   una narrazione <u>fantastica</u>
    una persona _normale/antipatica_ una narrazione _realistica_

13 *Per i seguenti aggettivi date contrari diversi - da scegliere fra quelli proposti - a seconda dei mini-contesti in cui compaiono.*

Esempio: un comportamento <u>civile</u>   un comportamento <u>incivile</u>
             il tribunale <u>civile</u>   il tribunale <u>militare</u>
             il codice <u>civile</u>   il codice <u>penale</u>
             un matrimonio <u>civile</u>   un matrimonio <u>religioso</u>
             (penale / incivile / militare / religioso)

1. un colore <u>chiaro</u>   un colore _scuro_
    un discorso <u>chiaro</u>   un discorso _confuso_
    un comportamento <u>chiaro</u>   un comportamento _ambiguo_
    (ambiguo / scuro / confuso)

2. una sedia <u>libera</u>   una sedia _occupata_
    entrata <u>libera</u>   entrata _a pagamento_
    una scelta <u>libera</u>   una scelta _obbligata_
    (obbligata / occupata / a pagamento)

3. un caffè <u>dolce</u>   un caffè _secco_
    acqua <u>dolce</u>   acqua _salata_
    una parola <u>dolce</u>   una parola _aspra_
    un vino <u>dolce</u>   un vino _amaro_
    (aspra / salata / secco / amaro)

4. l'ora <u>legale</u>   l'ora _solare_
   un procedimento <u>legale</u>   un procedimento _illegale_
   carta <u>legale</u>   carta _libera_
   (libera / illegale / solare)

5. un fenomeno <u>naturale</u>   un fenomeno _____
   una posizione <u>naturale</u>   una posizione _____
   un lago <u>naturale</u>   un lago _____
   una morte <u>naturale</u>   una morte _innaturale_
   (violenta / sovrannaturale / innaturale / artificiale)

6. un peccato <u>mortale</u>   un peccato _veniale_
   un essere <u>mortale</u>   un essere _immortale_
   un pericolo <u>mortale</u>   un pericolo _non mortale_
   (non mortale / immortale / veniale)

7. un nodo <u>semplice</u>   un nodo _doppio_
   un discorso <u>semplice</u>   un discorso _complesso_
   un uomo <u>semplice</u>   un uomo _raffinato_
   un tempo <u>semplice</u>   un tempo _composto_
   (raffinato / doppio / complesso / composto)

8. un movimento <u>volontario</u>   un movimento _involontario_
   un ricovero <u>volontario</u>   un ricovero _coatto_
   un omicidio <u>volontario</u>   un omicidio _preterintenzionale_
   (preterintenzionale / coatto / involontario)

14 *Per ciascuna delle espressioni della colonna* **A** *rintracciate un possibile contrario nella colonna* **B**. *Unite poi con frecce le espressioni in corrispondenza.*

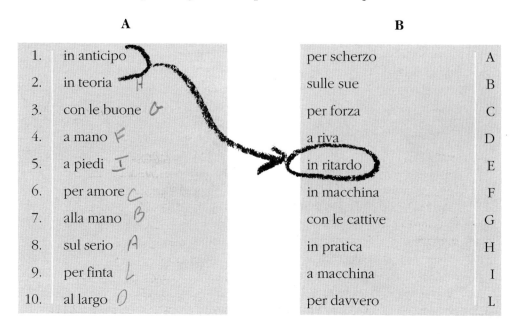

	A		B	
1.	in anticipo	per scherzo	A
2.	in teoria *H*	sulle sue	B
3.	con le buone *G*	per forza	C
4.	a mano *F*	a riva	D
5.	a piedi *I*	in ritardo	E
6.	per amore *C*	in macchina	F
7.	alla mano *B*	con le cattive	G
8.	sul serio *A*	in pratica	H
9.	per finta *L*	a macchina	I
10.	al largo *D*	per davvero	L

15 *Completate le frasi della colonna* **A** *cercando in* **B** *l'espressione contrapposta alla parte sottolineata.*

A	**B**	
1. Andava prima <u>a destra</u> e poi *G*	alla rinfusa	A
2. È coraggioso <u>a parole</u> più che	in campagna	B
3. Alcune spiagge sono <u>gratis</u> altre	nei fatti	C
4. La frase si trova <u>al principio</u> del libro, non	per iscritto	D
5. Non studia mai niente <u>a fondo</u>, rimane	all'estero	E
6. Prima abitava <u>in centro</u>, ora sta	in superficie	F
7. Il lavoro si può fare sia <u>in patria</u> che	a sinistra	G
8. Io vivo meglio <u>in città</u> che	a pagamento	H
9. Le carte erano tutte <u>in ordine</u> e niente affatto	in periferia	I
10. Sì, lo ha promesso <u>a voce</u> ma non ha messo nulla	alla fine	L

Risposte:

1G / 2C / 3H / 4L / 5F / 6I / 8B / 7E / 9A / 10D /

16 *Nelle frasi seguenti inserite negli spazi vuoti la parola che si trova in rapporto inverso con quella sottolineata.*

Esempio: *Non so se sia meglio parlare con il <u>marito</u> o con la* **moglie** .

1. Non sempre i <u>genitori</u> vanno d'accordo con i ___figli___ .
2. Quel <u>medico</u> è sempre molto gentile con i suoi ___pazienti___ .
3. L'<u>insegnante</u> spiega la lezione ai suoi ___studenti___ .
4. Tra quei due non capisco chi sia la <u>vittima</u> e chi il ___colpevole___ .
5. Di solito i <u>nonni</u> amano molto i loro ___nipoti___ .
6. Il <u>cacciatore</u> difficilmente rinuncia alla sua ___preda___ .
7. Preferisco esserti <u>creditore</u> che ___debitore___ .
8. Si vede benissimo che quei due sono <u>fratello</u> e ___sorella___ .
9. Spesso ci sono litigi fra <u>suocera</u> e ___nuora / genero (son-in-law)___ .
10. La tradizione è ciò che gli <u>antenati</u> lasciano ai loro ___discendenti___ .

17 In ciascuna delle frasi seguenti rintracciate e sottolineate una coppia di contrari. Riportate poi le parole o espressioni in contrasto negli appositi spazi.

Esempio: Preferisco le persone *taciturne* a quelle troppo *loquaci*.

taciturne   _loquaci_

1.   Non ha voluto né confermare né smentire la notizia.

confermare   _smentire_

2.   Non so se sia ferito sul palmo o sul dorso della mano.

palmo   _dorso_

3.   Non mescolate il sacro col profano.

sacro   _profano_

4.   Ho puntato 50.000 sul rosso ma purtroppo è uscito il nero.

rosso   _nero_

5.   Solo Roberto è scapolo, l'altro fratello si è sposato l'anno scorso.

scapolo   _sposato_

6.   Mi piace la pasta al dente, non scotta a questo modo.

al dente   _scotta_

7.   Per favore, un caffè lungo e uno ristretto.

lungo   _ristretto_

8.   Trovo le bistecche al sangue molto più appetitose di quelle ben cotte.

al sangue   _cotte_

2. Sinonimia

2. SINONIMIA

Per indicare una stessa persona, cosa, attività, etc., a volte abbiamo a disposizione più di una parola. Ad esempio, possiamo avvertire qualcuno che sta inciampando dicendogli 'Attento, c'è un <u>gradino</u>!' o 'Attento, c'è uno <u>scalino</u>!'. 'Gradino' / 'scalino' sono sinonimi perché possono essere usati in modo intercambiabile.

Di rado, però, la sinonimia è totale perché non sempre parole che hanno lo stesso significato possono essere usate in tutti i contesti. Frequenti sono, invece, i casi di sinonimia speciale.

Se a tavola ci sono persone con le quali non abbiamo molta confidenza e nel mangiare gli spaghetti un po' di salsa di pomodoro ci va a finire sulla camicia, potremo commentare 'Mi sono fatto <u>una macchia</u>!', se invece ci troviamo fra amici, oltre a questo stesso commento, potremo dire 'Mi sono fatto <u>una patacca</u>!' 'Macchia' e 'patacca' si usano infatti in situazioni distinte da un diverso grado di formalità.

Sono sinonimi speciali anche i sinonimi parziali, cioè parole che sono sinonime in alcuni contesti ma non in altri. È questo il caso di 'vivere' e 'abitare'. Possiamo infatti dire indifferentemente '<u>Abita</u> in campagna' o '<u>Vive</u> in campagna', '<u>Abita</u> da sola' o '<u>Vive</u> da sola', ma nelle frasi 'Vive tranquillamente', 'Vive bene', 'Non sa vivere' 'vivere' non può essere sostituito da 'abitare' perché i due verbi sono sinonimi solo parzialmente.

Vi sono poi parole che in alcune aree geografiche vengono affiancate da sinonimi locali. È il caso di 'scopa' che in Toscana diventa 'granata' o di 'versare' che diventa 'mescere'; sempre in Toscana non si ha 'fretta', ma si ha 'furia' e nel Lazio si ha 'prescia'. Molti sono gli alimenti chiamati con nomi diversi nelle diverse regioni: i 'fagiolini' vengono detti in Veneto 'tegoline' e in Lombardia 'cornetti'; la 'spigola' è un pesce che sulle coste settentrionali diventa 'branzino'; un panino di forma rotonda, che nell'Italia centrale è una 'rosetta', è una 'michetta' in Lombardia.

Fanno anche parte dei sinonimi speciali alcune coppie di parole delle quali una è ora un sinonimo invecchiato. Si tratta di termini che un tempo erano usati normalmente e che ora invece appartengono solo a testi o linguaggi particolari: nella vita quotidiana sono state sostituite da altre più 'moderne'. Così, accanto ai 'figli' e alla 'moglie' di ora sopravvivono 'la prole' e 'la consorte' di un tempo.

Infine, alcune parole vengono usate solo in settori specifici, e sono pertanto sinonimi settoriali: un 'incidente di macchina' diventa un 'sinistro' per l'assicurazione, un 'mal di testa' è un' 'emicrania' per il medico e nel mondo della burocrazia il 'negoziante' è l' 'esercente', la nostra 'casa' diventa un' 'abitazione' e il nostro 'indirizzo' il 'domicilio'.

Non è dunque facile parlare di sinonimia fuori di un determinato contesto. Molto più semplice è trovare sinonimi all'interno di testi dove il contesto aiuta a chiarire il significato di parole e di espressioni. Ad esempio, nella frase 'La famiglia rappresenta la soluzione a molti problemi', il verbo 'rappresenta' significa 'è' e quindi, in questo contesto, può essere così sostituito: 'La famiglia è la soluzione a molti problemi'. Tuttavia, non possiamo certo affermare che 'essere' e 'rappresentare' sono sempre sinonimi.

Frequenti sono infine i casi di parole generiche che proprio per il loro carattere poco definito possono sostituire parole più specifiche. Si tratta di parole flessibili, i cui vari sensi vengono generati dal contesto. Se diciamo 'In quel negozio i prezzi sono buoni', intendiamo che i prezzi sono 'convenienti'; però se a scuola 'Valeria ha preso un buon voto' possiamo anche dire che ha preso un voto 'alto'; se la minestra è 'saporita' è anche 'buona', come è 'buono' un 'film divertente' o 'interessante'. In tutti questi casi gli aggettivi 'conveniente', 'alto', 'saporito', 'divertente', 'interessante', anche se così diversi, possono essere sostituiti da 'buono' che, proprio perché più generico ed elastico, entra in contesti variati.

Antonimia

Sinonimia

Intensità

Collocazione

Polisemia

Inclusione

Connotazione

Metafora

Derivazione

Residui e prestiti

sinonimia

1 *Collegate ogni parola della colonna di sinistra con il corrispondente sinonimo della colonna di destra.*

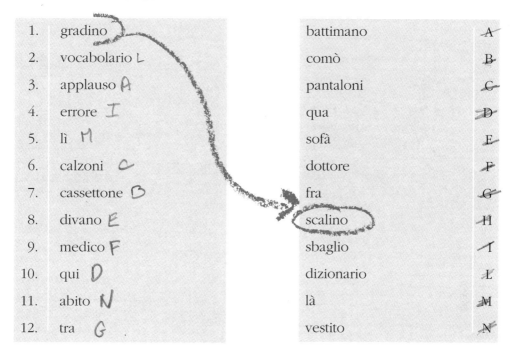

1.	gradino	battimano		A
2.	vocabolario L	comò		B
3.	applauso A	pantaloni		C
4.	errore I	qua		D
5.	lì M	sofà		E
6.	calzoni C	dottore		F
7.	cassettone B	fra		G
8.	divano E	scalino		H
9.	medico F	sbaglio		I
10.	qui D	dizionario		L
11.	abito N	là		M
12.	tra G	vestito		N

2 *Formate delle coppie di sinonimi con i seguenti verbi.*

> acquistare / ingoiare / adoperare / avvertire /
> stupire / calmare / capire / comprare / gettare /
> avvisare / buttare / meravigliare / tranquillizzare /
> usare / comprendere / inghiottire

1. Avvertire / Avvisare ✓
2. Acquistare / Comprare ✓
3. Gettare / Buttare ✓
4. Capire / Comprendere ✓
5. Stupire / Meravigliare ✓
6. Tranquillizzare / calmare ✓
7. Usare / adoperare ✓
8. Ingoiare / inghiottire ✓

3 *Con le seguenti parole formate coppie di sinonimi che si usano in contesti di diverso grado di formalità.*

> **meno formali:**
> faccia / grattacapo / galera / sebbene / macchina / motorino / rabbia / soldi / spazzino / schifo / vigliacco / postino / cioè / lagna

> **più formali:**
> ciclomotore / codardo / ossia / denaro / disgusto / portalettere / ira / netturbino / volto / quantunque / lamento / prigione / preoccupazione / autovettura

1. _faccia_ / _volto_
2. _grattacapo_ / _preoccupazione_
3. _galera_ / _prigione_
4. _sebbene_ / _quantunque_
5. _macchina_ / _autovettura_
6. _motorino_ / _ciclomotore_
7. _rabbia_ / _ira_
8. _soldi_ / _denaro_
9. _spazzino_ / _netturbino_
10. _schifo_ / _disgusto_
11. _vigliacco_ / _codardo_
12. _postino_ / _portalettere_
13. _cioè_ / _ossia_
14. _lagna_ / _lamento_

4 *Nelle seguenti coppie le frasi possono essere considerate sinonime tranne che per il grado di formalità. Per ciascuna coppia dite quale frase è più formale (scrivete un +) e quale meno (scrivete un −).*

1. Che <u>fifa</u> mi sono preso! —
   Che <u>paura</u> mi sono preso! +
2. È <u>morto</u> all'improvviso. +
   È <u>spirato</u> all'improvviso. −
3. Mi <u>duole</u> un dente. −
   Mi <u>fa male</u> un dente. +
4. Gli ha <u>mollato</u> un calcio. −
   Gli ha <u>dato</u> un calcio. +
5. È una serata <u>barbosa</u> da morire! −
   È una serata <u>noiosa</u> da morire! +
6. Non lo <u>sopporto</u>! Mi è antipatico! +
   Non lo <u>reggo</u>! Mi è antipatico! −
7. Non gli <u>caverai una parola</u> in proposito! −
   Non gli <u>farai dire una parola</u> in proposito! +

sinonimia

Antonimia

Sinonimia

Intensità

Collocazione

Polisemia

Inclusione

Connotazione

Metafora

Derivazione

Residui e prestiti

8. Il suo atteggiamento mi <u>manda fuori dai gangheri</u>.
   Il suo atteggiamento mi <u>irrita moltissimo</u>.
9. A pallavolo Lino è <u>bravissimo</u>.
   A pallavolo Lino è <u>un drago</u>.
10. Non riesco a <u>mandar giù</u> il suo tradimento.
    Non riesco ad <u>accettare</u> il suo tradimento.

5 *Nelle frasi che seguono la parola sottolineata è di uso regionale. Sostituitela con il corrispondente sinonimo italiano scelto fra le parole qui date.*

> lucido / furbo / ~~cozze~~ / ~~discoteca~~ / ~~lavandino~~ /
> maleducato / pasticcio / piacere / porta / pranzare /
> sfortunato / formaggio / tassista / calzino

1. In cucina c'è un <u>acquaio</u> non molto grande.   *lavandino*

2. Passa spesso le serate in <u>balera</u>.   *discoteca*

3. Ha bussato a ogni <u>uscio</u> per trovarlo.   *porta*

4. Ho un buco nel <u>pedalino</u>.   *calzino*

5. Ce lo metti tu il <u>cacio</u> sui maccheroni?   *formaggio*

6. Non torna mai a <u>desinare</u> a casa.   *pranzare*

7. Non le può <u>garbare</u> una vita così!   *piacere*

8. È proprio <u>iellato</u>! Lo hanno tamponato di nuovo!   *sfortunato*

9. La zuppa di <u>muscoli</u> è un piatto squisito.   *cozze*

10. Che <u>vernicetta</u> usi per pulire le scarpe?   *lucido*

11. Non saluta mai. È proprio <u>scostumato</u>.   *maleducato*

12. "Dove andiamo?" chiese il <u>tassinaro</u>.   *tassista*

13. Che <u>pastrocchio</u>! Dovrò ricominciare tutto da capo!   *pasticcio*

14. Piero è <u>un dritto</u>: fa sempre finta di non capire.   *furbo*

6 *Le parole della colonna* **A** *sono più o meno 'invecchiate', invece quelle della colonna* **B** *sono attuali. Collegate ciascuna con il corrispondente sinonimo.*

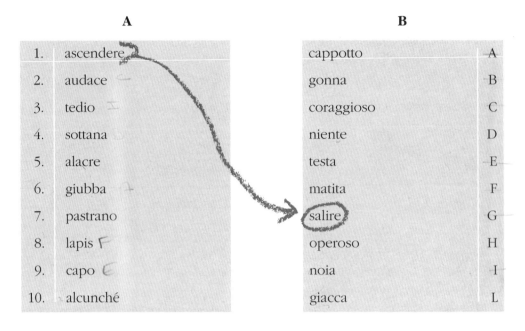

	A			**B**	
1.	ascendere			cappotto	A
2.	audace			gonna	B
3.	tedio			coraggioso	C
4.	sottana			niente	D
5.	alacre			testa	E
6.	giubba			matita	F
7.	pastrano			salire	G
8.	lapis			operoso	H
9.	capo			noia	I
10.	alcunché			giacca	L

7 *Nelle frasi che seguono la parola sottolineata è 'invecchiata'. Sostituitela con il corrispondente sinonimo di uso corrente.*

1. Sarà <u>cagione</u> di molti guai. _____causa_____
2. Alla notizia ho provato grande <u>gaudio</u>. _____gioia_____
3. Piove! Mi presti un <u>parapioggia</u>? _____ombrello_____
4. Teresa si è <u>maritata</u> in aprile. _____sposata_____
5. Non si deve <u>celare</u> la verità. _____nascondere_____
6. È stato <u>redarguito</u> aspramente. _____rimproverato_____
7. Che <u>olezzo</u> emanano quei fiori! _____profumo_____
8. La <u>fanciulla</u> era vestita di bianco. _____ragazza_____
9. Aveva in testa uno strano <u>copricapo</u>. _____cappello_____
10. Come fai ad accendere il gas senza <u>zolfanelli</u>? _____fiammiferi_____

Se avete avuto difficoltà vi potete aiutare ora con le parole seguenti :

rimproverato / causa /
fiammiferi / gioia /
nascondere / cappello /
profumo / ragazza /
ombrello / sposata

8 *Le parole o espressioni date in colonna sono usate soprattutto in ambito medico. Scrivete accanto a ciascuna la parola comune scelta fra le seguenti.*

1. cute _____
2. cavità orale _____
3. emicrania _____
4. farmaco _____
5. iniezione _____
6. nosocomio _____
7. flacone _____
8. parotite _____
9. radiografia _____
10. compressa _____
11. rinite _____
12. terapia _____

> bocca / cura / lastra / mal di testa / medicina /orecchioni / ospedale / puntura / pelle / raffreddore / pillola / bottiglia

9 *I seguenti verbi frasali sono di solito usati nella lingua parlata o in contesti informali. Scrivete accanto ad ogni verbo sottolineato il corrispondente verbo frasale.*

> andare avanti / andare su / buttare giù /
> fare fuori / tirare su / mandare fuori / tirare fuori /
> mettere sotto / mettere su / tirare dentro

1. Allevare i figli con grandi sacrifici.   *tirare su*

2. Avviare un'attività commerciale.   _____

3. Coinvolgere gli amici in brutte faccende.   *tirare dentro*

4. Continuare a discutere per ore.   *andare avanti*

5. Eliminare i nemici senza alcuno scrupolo.   *fare fuori*

6. Esporre l'argenteria.   _____

7. Investire qualcuno sulle strisce pedonali.   _____

8. Salire a fare una telefonata.   *andare su*

9. Scrivere due righe.   _____

10. Espellere dall'aula.   *mandare fuori*

Antonimia
Sinonimia
Intensità
Collocazione
Polisemia
Inclusione
Connotazione
Metafora
Derivazione
Residui e prestiti

10 *Gli aggettivi che seguono indicano tutti origine geografica, ma quellli della colonna* **B** *sono di uso meno frequente. Collegate ciascun aggettivo della colonna* **A** *con il corrispondente della colonna* **B**.

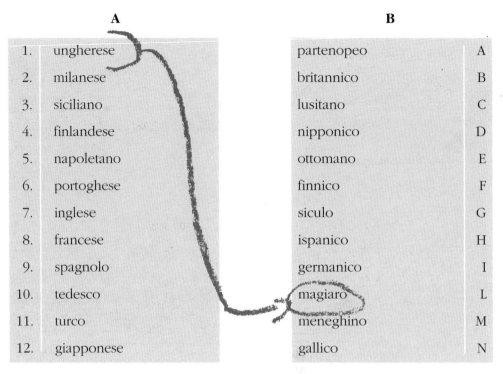

	A		**B**	
1.	ungherese	partenopeo	A
2.	milanese	britannico	B
3.	siciliano	lusitano	C
4.	finlandese	nipponico	D
5.	napoletano	ottomano	E
6.	portoghese	finnico	F
7.	inglese	siculo	G
8.	francese	ispanico	H
9.	spagnolo	germanico	I
10.	tedesco	magiaro	L
11.	turco	meneghino	M
12.	giapponese	gallico	N

11 *Vi sono delle parole che, pur avendo pressappoco lo stesso significato in alcuni contesti, non possono essere scambiate in altri. Completate le frasi inserendo in modo appropriato una delle due parole sottolineate.*

1. A.   Non trova mai la <u>via</u> di casa.
    B.   Non trova mai la <u>strada</u> di casa.

    A o B?
    L'ho incontrato per _____ casualmente.

2. A.   Se continua così c'è <u>pericolo</u> di rimanere bloccati.
    B.   Se continua così c'è <u>rischio</u> di rimanere bloccati.

    A o B?
    Sul cartello c'era scritto: Attenzione! _pericolo____ di morte!

3. A.   Lucia ha una bella <u>camera</u> da letto.
    B.   Lucia ha una bella <u>stanza</u> da letto.

    A o B?
    È un'appassionata di musica da ___camera___ .

4. A. Il treno ha una <u>carrozza</u> diretta per Udine.
   B. Il treno ha un <u>vagone</u> diretto per Udine.

   A o B?
   "Signori, in _____ !" invitava il capostazione.

5. A. I soldati ormai non escono più in <u>divisa</u>.
   B. I soldati ormai non escono più in <u>uniforme</u>.

   A o B?
   Nelle cerimonie gli ufficiali indossano l'alta ___divisa___ .

6. A. Segui le <u>indicazioni</u> stradali e arriverai a destinazione facilmente.
   B. Segui i <u>segnali</u> stradali e arriverai a destinazione facilmente.

   A o B?
   Non posso fare i calcoli esatti, non mi ha dato sufficienti ___indicazioni___ .

7. A. Clotilde si è messa un <u>nastro</u> rosso sulla coda di cavallo .
   B. Clotilde si è messa un <u>fiocco</u> rosso sulla coda di cavallo.

   A o B?
   Devo comprare del _____ rosso per fare i pacchetti di Natale.

8. A. Qualcuno mi deve spiegare i <u>motivi</u> di questa decisione.
   B. Qualcuno mi deve spiegare le <u>ragioni</u> di questa decisione.

   A o B?
   Quando ha deciso qualcosa non sente ___ragioni___ .

12 *Nelle frasi **a** e **b** i verbi dati sono sinonimi ma solo uno può essere correttamente inserito nella frase **c**. Completate la frase **c** inserendo il verbo appropriato.*

1. a. Ha <u>acquistato</u> un appartamento in via dei Coronari.
   b. Ha <u>comprato</u> un appartamento in via dei Coronari.

   acquistare o comprare?
   c. È così corrotto che si lascia ___comprare___ con poche lire.

2. a. <u>Raccoglie</u> le figurine dei calciatori.
   b. <u>Colleziona</u> le figurine dei calciatori.

   raccogliere o collezionare?
   c. Nella vita potrai ___raccogliere___ solo quello che avrai seminato.

3. a. La trasmissione <u>termina</u> alle 23.
   b. La trasmissione <u>finisce</u> alle 23.

   finire o *terminare*?
   c. Non pensavo che andasse a ___finire___ così.

4. a. <u>Passa</u> il tempo giocando a carte.
   b. <u>Trascorre</u> il tempo giocando a carte.

   passare o *trascorrere*?
   c. Lo vedo ___passare___ sotto casa tutti i giorni.

5. a. Si fece avanti per <u>dividere</u> i due litiganti.
   b. Si fece avanti per <u>separare</u> i due litiganti.

   dividere o *separare*?
   c. Come faccio a ___dividere___ 371 per 17?

6. a. Nell'emergenza è bene <u>conservare</u> sempre la calma.
   b. Nell'emergenza è bene <u>mantenere</u> sempre la calma.

   conservare o *mantenere*?
   c. Non basta più un solo stipendio per ___mantenere___ una famiglia.

7. a. Per tutte le avversità non riuscì ad <u>arrivare</u> in tempo.
   b. Per tutte le avversità non riuscì a <u>giungere</u> in tempo.

   arrivare o *giungere*?
   c. Riesci a ___giungere___ all'ultimo ripiano in alto?

8. a. Credi di <u>conoscere</u> abbastanza bene l'italiano?
   b. Credi di <u>sapere</u> abbastanza bene l'italiano?

   conoscere o *sapere*?
   c. Al giorno d'oggi è indispensabile ___sapere___ guidare.

13 *Nelle seguenti frasi sostituite le parole o espressioni sottolineate con altre equivalenti.*

1. <u>Indossava</u> pantaloni grigi e giacca blu. ___Portava___

2. Non dice mai <u>nulla</u>. ___Niente___

3. Pensi che il biglietto del treno sia ancora <u>buono</u>? ___Valido___

4. Mi chiedo <u>come mai</u> arrivi sempre in ritardo. ___perché___

5. Il caso è <u>quanto mai</u> complesso. ___troppo___

6. <u>Esistono</u> poche probabilità di vittoria. ___Ci sono___

Antonimia

Sinonimia

Intensità

Collocazione

Polisemia

Inclusione

Connotazione

Metafora

Derivazione

Residui e prestiti

7. Certamente <u>si tratta di</u> un malinteso. *é solo*

8. In quel negozio le calze <u>vengono</u> molto meno
    che nei grandi magazzini. *si comprano*

9. Nessuno voleva <u>abbandonare</u> la città. *lasciare*

10. Mario ha <u>ottenuto</u> tutto quello che voleva. *vinto*

11. Sono quasi certa che lo <u>rifarà</u>. *ripeterà*

12. Venezia è attraversata da <u>un gran numero di</u> canali. *molti*

13. Sono stato veramente felice <u>rare</u> volte nella vita. *poche*

14. Non erano <u>in grado</u> di tirare su l'ancora. _____

15. Sulle strade si sono verificati <u>numerosi</u> incidenti. *tanti*

16. Vieni, <u>altrimenti</u> non so come fare. *perché*

17. <u>Durante la</u> notte è scesa la temperatura. *Nella*

18. È andato in città <u>in compagnia di</u> Gianni. *con*

19. Ci serviva nella vita <u>di ogni giorno</u>. _____

20. Ci sono stati danni <u>immensi</u>. *enormi*

21. È venuto qui mercoledì <u>passato</u>. *scorso*

22. Il volume della televisione è <u>eccessivo</u>. *troppo alto*

23. Nel lavoro Luisa è <u>eccessivamente</u> pignola! *troppo*

24. <u>Pure</u> Luigi è della stessa opinione. *Anche*

25. Ha <u>buttato giù</u> un boccone ed è uscito. _____

26. Un fulmine ha <u>abbattuto</u> quell'albero secolare. _____

27. Vieni qui <u>immediatamente</u>! *adesso*

28. È ancora <u>piuttosto</u> giovane. _____

29. Giuliano è una persona <u>proprio</u> a modo! _____

30. I Marini sono <u>tanto</u> antipatici. *così*

3. Intensità

3. INTENSITA'

Le parole possono esprimere gradi diversi di intensità. Ad esempio, 'sono contento' corrisponde a una quantità moderata di "contentezza"; se poi questa quantità aumenta, possiamo dire 'sono <u>molto</u> contento', usando 'molto', il più frequente ma non unico intensificatore della lingua italiana, oppure 'contentissimo', aggiungendo a 'contento' il suffisso -issimo del superlativo.

Questa stessa intensità si potrà tuttavia esprimere anche senza far ricorso a intensificatori o suffissi dicendo semplicemente 'sono felice', perché la parola 'felice' è già di per sé più intensa di 'contento' anche se a sua volta accetta il 'molto' o l'-issimo del superlativo: 'molto felice' o 'felicissimo'. Un'intensità ancora più alta si potrà rendere attraverso espressioni come: 'sono al settimo cielo', 'non sto in me dalla gioia', 'tocco il cielo con un dito' e altre. Queste sì sono espressioni assolute e non possono venire ulteriormente intensificate.

Allo stesso modo, se il mio desiderio o bisogno di mangiare qualcosa non è particolarmente elevato lo chiamerò 'appetito' o 'languore di stomaco'; se è maggiore dirò che è 'fame' e via via 'molta fame' o 'moltissima fame'. Però, dopo aver raggiunto l'intensità molto alta di 'fame da lupi', per esempio, o 'fame nera', non potrò andare oltre e dire *molta fame da lupi o *molta fame nera.

È certo possibile graduare anche l'intensità dei verbi: 'lo amo molto' o anche 'lo amo moltissimo' sono meno forti di 'vado pazza per lui', così come 'ho voglia' o anche 'ho <u>molta</u> o <u>tanta</u> voglia di andare a Milano' sono meno forti di 'non vedo l'ora' o di 'muoio dalla voglia' di andarci.

L'intensità ovviamente non è misurabile solo nei gradi alti e altissimi, ma anche in quelli bassi. '<u>Un velo</u> di cipria' implica una quantità di cipria minima; 'costa <u>una miseria</u>' vuol dire che il costo di cui si parla è trascurabile, 'è stato <u>un lampo</u>' dice che la quantità di tempo in gioco è decisamente bassa: il tempo in cui percepiamo 'un lampo' in cielo durante un temporale. Pensiamo ai comunissimi 'guerra lampo', 'visita lampo', 'sequestro lampo'.

In molti casi i gradi molto alti di intensità sconfinano nell'iperbole che, oltre a intensificare, esagera addirittura le caratteristiche di persone o cose. Per dire che qualcuno è 'molto ma molto magro' potrò usare l'espressione 'è pelle e ossa' senza che la frase sia vera a livello letterale. Dire di qualcuno 'lo conosco da una vita' significa che la nostra conoscenza risale a molto, moltissimo tempo fa ma non necessariamente al giorno della nascita di uno dei due.

Sono frequenti i casi in cui l'alta intensità comporta forme di collocazione fissa: per dire che 'è molto buio', che 'il buio è intensissimo', farò ricorso all'espressione cristallizzata dall'uso, che è 'buio pesto', e 'un freddo davvero freddo' si potrà definire 'un freddo cane'; ma non potrò mai dire *un freddo pesto* né *un buio cane*.

A parte questi casi estremi che non ammettono varianti, gli aggettivi a forte intensità hanno spesso una collocazione più ristretta dei corrispondenti aggettivi con intensità minore: 'caldo', o anche 'caldissimo', si può usare indistintamente con 'minestra' 'clima' o 'ferro da stiro', ma le forme più intense sono legate a contesti specifici: 'bollente' per la minestra, 'torrido' per il clima e 'rovente' per il ferro da stiro non si possono scambiare tra di loro.

Ci sono intensivi che sono tali solo in alcune delle loro accezioni: in 'una noia mortale' l'aggettivo 'mortale' è un intensivo giacché l'espressione significa 'una noia grandissima' o 'una noia impossibile da sopportare'; ma in 'un incidente mortale' 'mortale' non intensifica e si limita a qualificare l'incidente che è 'tale da procurare la morte'. Allo stesso modo, 'una vendita straordinaria' significa una vendita che per qualche modalità (di solito relativa ai prezzi) si differenzia da quelle abituali; ma in 'un libro straordinario' o 'un film straordinario' l'aggettivo 'straordinario' intensifica fortemente qualità positive come 'buono', 'bello', 'interessante'. Naturalmente sono possibili casi di ambiguità: 'ho viaggiato su un treno straordinario' potrebbe avere entrambi i significati di 1. treno con particolari doti di velocità o di lusso o, molto più semplicemente, 2. treno aggiunto in occasioni particolari a quelli ordinari che compaiono nell'orario ferroviario.

Antonimia

Sinonimia

Intensità

Collocazione

Polisemia

Inclusione

Connotazione

Metafora

Derivazione

Residui e prestiti

intensità

1 *Sostituite gli aggettivi sottolineati con altri di uguale significato ma di intensità minore da scegliere fra quelli qui elencati.*

1. un giorno <u>meraviglioso</u>
   un giorno <u>molto</u> ____bello____

2. un uomo <u>felice</u>
   un uomo <u>molto</u> ____contento____

3. un pacchetto <u>minuscolo</u>
   un pacchetto <u>molto</u> ____piccolo____

4. un giardino <u>immenso</u>
   un giardino <u>molto</u> ____grande____

5. un film <u>ottimo</u>
   un film <u>molto</u> ____buono____

6. un sogno <u>orribile</u>
   un sogno <u>molto</u> ____cattivo____

7. un rapporto <u>pessimo</u>
   un rapporto <u>molto</u> ____brutto____

8. un giudizio <u>entusiastico</u>
   un giudizio <u>molto</u> ____favorevole____

> cattivo /
> piccolo / buono /
> contento / brutto
> / favorevole /
> bello / grande

2 *Sostituite gli aggettivi sottolineati con altri di uguale significato ma di intensità minore.*

Esempio: un tempo <u>splendido</u>
un tempo <u>*molto bello*</u>

1. uno sbaglio <u>enorme</u>
   uno sbaglio <u>molto</u> ____grave____

2. un ragazzo <u>geniale</u>
   un ragazzo <u>molto</u> ____intelligente____

3. un dolce <u>squisito</u>
   un dolce <u>molto</u> ____buono____

4. un punto <u>microscopico</u>
   un punto <u>molto</u> ____piccolo____

5. un uomo <u>esausto</u>
   un uomo <u>molto</u> ____stanco____

6. un ferro <u>rovente</u>
   un ferro molto _calda_ _____

7. un caffè <u>bollente</u>
   un caffè molto _caldo_ _____

8. un clima <u>torrido</u>
   un clima molto _denso_ _____

3 *Nelle mini-conversazioni che seguono, allo scopo di ribadire e accentuare quello che dice **A**, sostituite in **B** gli aggettivi sottolineati con altri di significato corrispondente ma di intensità maggiore.*

Esempio: A - È <u>arrabbiato</u> tuo padre?
B - Arrabbiato? Dì pure che è *furioso* !!

1. A - È stata una giornata <u>fredda</u>?
   B - Fredda? Vorrai dire _gelata_ _____!!

2. A - Hai trovato <u>divertente</u> il suo ultimo libro?
   B - Divertente? Assolutamente _brillante_ _____!!

3. A - È stato un incontro <u>doloroso</u>?
   B - Doloroso? Direi piuttosto _angoscioso_ _____!!

4. A - È rimasta <u>stupita</u> quando le avete detto la verità?
   B - Stupita? Io direi _scioccata_ _____!!

5. A - Ti è sembrata molto <u>triste</u>?
   B - Ti assicuro che era veramente _disperata_ _____!!

6. A - La ritieni una versione dei fatti proprio <u>assurda</u>?
   B - Per me la parola giusta è _ridicola_ _____!!

7. A - La ritieni una questione davvero così <u>importante</u>?
   B - Importante? Per me è proprio _essenziale_ _____!!

8. A - È davvero un'attrice così <u>famosa</u>?
   B - Famosa? E' addirittura _mitica_ _____!!

Se non avete potuto svolgere da soli l'esercizio, cercate gli aggettivi adatti fra i seguenti:

disperata/ essenziale / esilarante / delirante / gelida / mitica / esterrefatta / straziante

4 In ciascuno dei mini-dialoghi seguenti sottolineate due parole che hanno significato uguale ma diverso grado di intensità. Riportate poi le due parole negli spazi appositi.

Esempio: A - La sua commedia è stata un <u>insuccesso</u>?
B - Direi che è stata un vero <u>fiasco</u>.

insuccesso
fiasco

1. A - Alla fine del discorso ci sono stati applausi?
B - Molto più che applausi. C'è stata un'ovazione.

applausi
ovazion

2. A - C'è stato un temporale ieri?
B - Temporale? Direi piuttosto un nubifragio.

temporale
nubifragio

3. A - Hai avuto notizie sul disastro?
B - Purtroppo si tratta di una vera catastrofe.

disastro
catastrofe

4. A - Mi pare che la mostra sia stata un successo.
B - Altroché! Un trionfo!

successo
trionfo

5. A - Hai paura dei fulmini?
B - Un vero e proprio terrore.

Paura
Terrore

6. A - Pensi che i ragazzi faranno rumore?
B - Temo che faranno un fracasso come al solito.

rumore
fracasso

7. A - Hanno preparato un buon pranzo?
B - È stato un vero e proprio banchetto.

pranzo
banchetto

8. A - Davvero si è aperto un buco sull'asfalto?
B - Un buco? Dì piuttosto una voragine.

buco
voragine

5 Cercate nella colonna **B** l'unico intensivo adatto a sostituire la parte sottolineata in ciascuna della espressioni della colonna **A**.

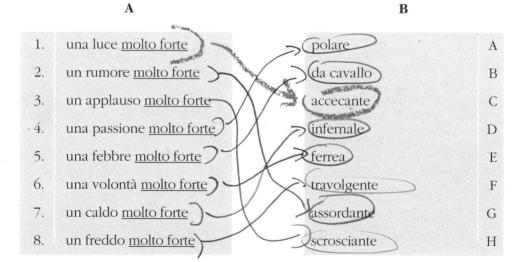

	A		**B**	
1.	una luce <u>molto forte</u>		polare	A
2.	un rumore <u>molto forte</u>		da cavallo	B
3.	un applauso <u>molto forte</u>		accecante	C
4.	una passione <u>molto forte</u>		infernale	D
5.	una febbre <u>molto forte</u>		ferrea	E
6.	una volontà <u>molto forte</u>		travolgente	F
7.	un caldo <u>molto forte</u>		assordante	G
8.	un freddo <u>molto forte</u>		scrosciante	H

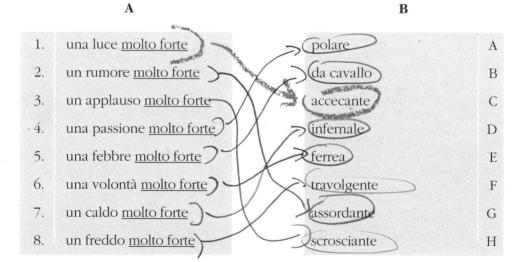

Antonimia

Sinonimia

Intensità

Collocazione

Polisemia

Inclusione

Connotazione

Metafora

Derivazione

Residui e prestiti

6 Ciascun aggettivo della colonna **A** si colloca abitualmente con uno degli intensivi della colonna **B**. Collegate gli aggettivi con gli intensivi adatti.

	A		B		Risposte	
1.	Quando rientrò era <u>bagnato</u>	zeppo	A		1	C
2.	Il cinema era <u>pieno</u>	stecchito	B		2	
3.	La sera è sempre <u>stanco</u>	fradicio	C		3	
4.	Ha un orologio <u>nuovo</u>	sfondato	D		4	
5.	Il canarino era <u>morto</u>	in canna	E		5	
6.	Quell'uomo è <u>ricco</u>	di zecca	F		6	
7.	Purtroppo è <u>povero</u>	cotto	G		7	
8.	Quel ragazzo è <u>innamorato</u>	morto	H		8	

7 Terminate le frasi seguenti scegliendo l'intensivo adatto, cioè quello che si colloca abitualmente con le frasi sottolineate.

1. Ha avuto una <u>fortuna</u> *da vendere*
2. Ha fatto un <u>errore</u> *madornale*
3. Il pover'uomo è <u>matto</u> *da legare*
4. Questa è la <u>verità</u> *sacrosanta*
5. C'era in sala un <u>silenzio</u> *di tomba*
6. Mi dispiace ma hai <u>torto</u> *marcio*
7. Quel ragazzo è <u>bello</u> *da morire*
8. Hai <u>ragione</u> *sfacciata*

> da vendere
> di tomba
> marcio
> sacrosanta
> da legare
> da morire
> madornale
> sfacciata

8 Nelle frasi che seguono sostituite la parte sottolineata - di intensità già molto alta - con un'espressione scelta fra quelle qui elencate, allo scopo di raggiungere un'intensità ancora maggiore.

> allo spasimo / in delirio / alle stelle / allo stremo /
> di sasso / al settimo cielo / a meraviglia / da leone

1. Dopo la vittoria era <u>davvero felicissimo</u>.
   al settimo cielo

2. In questo periodo i prezzi della frutta sono <u>davvero altissimi</u>.
   _____

3. Alla fine del concerto il pubblico era <u>davvero entusiasta</u>.
   alle stelle

intensità

44

Antonimia

Sinonimia

Intensità

Collocazione

Polisemia

Inclusione

Connotazione

Metafora

Derivazione

Residui e prestiti

4.   Durante una gara ci si deve concentrare <u>al massimo</u>.
_____allo spasmo_____

5.   Quando l'hanno ritrovato era <u>completamente</u> <u>privo di forze</u>.
_____

6.   Quell'uomo ha avuto un coraggio <u>davvero eccezionale</u>.
_____da leone_____

7.   In quella famiglia si capiscono tutti <u>davvero benissimo</u>.
_____a meraviglia_____

8.   Vedendolo arrivare sono rimasti <u>davvero stupiti</u>.
_____

9 Per completare le frasi seguenti vengono proposte due alternative di uguale significato ma di intensità diversa. Segnate con **1** la parola di intensità minore e con **2** la parola di intensità maggiore.

                        2   1
Esempio: Per fare entrare l'aria occorre *spalancare / aprire* le finestre.

  1.   Il ragazzo ha dato prova di *eroismo / coraggio* .
  2.   Il dollaro ha avuto *una flessione / un crollo* .
  3.   Nella sua stanza c'è sempre un gran *caos / disordine* .
  4.   Non si è ripreso dopo la *disfatta / sconfitta* .
  5.   Luigi ha *moltissimi / innumerevoli* amici.
  6.   Il camion era *pieno / carico* di legname.
  7.   Ti prego di restare *immobile / fermo* .
  8.   Il tuo aiuto mi è *indispensabile / necessario* .
  9.   In quel ristorante abbiamo mangiato *divinamente / benissimo* .
 10.   Le scarpe di quel negozio durano *in eterno / molto a lungo* .
 11.   Le lacrime gli *inondavano / bagnavano* il viso.
 12.   *Mi piace / adoro* andare in bicicletta.
 13.   Ha avuto *un'idea intelligente / un colpo di genio* .
 14.   Tra loro due c'è *un abisso / una grande differenza* .
 15.   Dicendo questo, non volevo *preoccupare / allarmare* nessuno.
 16.   Sentivamo chiaramente il *fragore / rumore* delle cascate.

10 *Nelle seguenti sequenze codificate inserite negli spazi vuoti le parole date tra parentesi in modo che venga osservato l'ordine di intensità.*

---

1. VALUTAZIONI SCOLASTICHE :
(*ottimo / sufficiente / discreto*)
1. scarso   2. insufficiente
3. mediocre   4. _discreto_
5. _sufficiente_   6. buono
              7. _ottimo_

---

2. NUVOLOSITA':
(*nuvoloso / poco nuvoloso*)
1. sereno   2. velato
3. _poco nuvoloso_   4. _nuvoloso_
          5. coperto

---

3. MARE:
(*tempestoso / molto mosso / mosso*)
1. calmo   2. quasi calmo
3. poco mosso   4. _mosso_
5. _molto mosso_   6. _tempestoso_
          7. grosso

---

4. FEBBRE:
(*media / debole / forte*)
1. normale   2. _debole_
3. _medio_   4. _forte_
     5. fortissima

---

5. TRAFFICO:
(*fortemente rallentato / rallentato / bloccato*)
1. scarso   2. scorrevole
3. superiore alla norma
4. intenso ma scorrevole
5. intenso
7. _fortemente rallentato_   6. _rallentato_
                             8. _bloccato_

---

6. VENTI:
(*moderato / forte*)
1. debole   2. _moderato_
        3. _forte_

---

8. TERREMOTI:
(*catastrofico / disastroso / distruttivo / lieve*)
1. strumentale   2. debole
3. _lieve_   4. moderato
5. alquanto forte   6. forte
7. molto forte   8. _distruttivo_
9. rovinoso   10. _disastroso_
11. molto disastroso   12. _catastrofico_

---

7. CRITICHE CINEMATOGRAFICHE :
(*eccezionale / discreto / buono*)
1. _discreto_   2. _buono_
3. ottimo   4. _eccezionale_

Antonimia

Sinonimia

Intensità

Collocazione

Polisemia

Inclusione

Connotazione

Metafora

Derivazione

Residui e prestiti

11 Indicate se le parti sottolineate nelle frasi seguenti trasmettono l'idea di poco **(P)** o di molto **(M)**.

1. Il povero ragazzo piangeva a dirotto. _M_
2. Mangia sempre come un uccellino. _P_
3. Abbiamo pagato quella casa un'inezia. _P_
4. Quel ristorante costa un occhio della testa. _M_
5. Lo abbiamo aspettato un pezzo. _M_
6. Ci hanno offerto una cifra ridicola. _P_
7. Hanno una fame nera. _M_
8. Hanno nella giustizia una fiducia cieca. _M_
9. Nel suo negozio la roba costa una miseria. _P_
10. Il film è durato un'eternità. _M_
11. Ci hanno messo una vita per arrivare. _M_
12. Siamo arrivati in un batter d'occhio. _P_
13. Ha sudato sette camicie. _M_
14. Sta piovendo a catinelle. _M_

12 Valutate con **P** (poco) o con **M** (molto) la quantità espressa dalle locuzioni sottolineate.

1. Gli rivolse un diluvio di parole. _M_
2. Parlava con un filo di voce. _M_
3. Quel tale aveva un sacco di amici. _M_
4. Si trova in un mare di guai. _M_
5. Non ho avuto neanche un briciolo di fortuna. _P_
6. Ti mando un mondo di baci. _M_
7. Sul viso aveva un'ombra di malinconia. _P_
8. Ho notato una punta di sarcasmo. _P_
9. Siamo stati travolti da una massa di informazioni. _M_
10. Gradirei un goccio di vino. _P_
11. Rimase con un pugno di mosche. _P_
12. Possedeva un fazzoletto di terra. _P_
13. Ho ricevuto una valanga di lettere. _M_
14. Si ubriaca con un dito di alcool. _P_
15. Pianse un fiume di lacrime. _M_
16. Dal cinema usciva una fiumana di gente. _M_
17. Ci accolse con una pioggia di rimproveri. _M_
18. Era immerso in un lago di sangue. _M_
19. Basterebbe un minimo di indicazioni. _P_
20. Occorre un'oncia di buon senso. ___
21. C'erano nugoli di zanzare. ___
22. Ha fatto un cumulo di errori. ___
23. Ho aggiunto un pizzico di sale. _P_
24. Il tuo amico ha una barca di soldi. _M_
25. C'è stato un coro di critiche. ___
26. Foderate la teglia con un velo di farina. ___

47

13 Collegate in modo appropriato le domande della colonna **A** con le risposte della colonna **B** che forniscono tutte un'intensificazione di quanto proposto nella domanda.

	A		B	
1.	Ti pare che abbia molte idee?		Oh, sì! È una bomba!	A
2.	È buono questo vino?		Oh, sì! È un vulcano!	B
3.	È bravo quel chirurgo?		Oh, sì! È un angelo!	C
4.	Ti pare una notizia clamorosa?		Oh, sì! È un toccasana!	D
5.	È buona tua cugina?		Oh, sì! È un fulmine!	E
6.	È tanto brutto quel bambino?		Oh, sì! È un mago!	F
7.	È utile quella medicina?		Oh, sì! È un mostro!	G
8.	È proprio così malvagio?		Oh, sì! È un nettare!	H
9.	È bello quel quadro?		Oh, sì! È un mostro!	I
10.	È davvero così svelto?		Oh, sì! È un capolavoro!	L

14 Inserite nella colonna **B** aggettivi adatti a sostituire l'iperbole sottolineata nella colonna **A**.

	A		B
1.	Serena è <u>un orologio</u>.	molto	_puntuale_ .
2.	L'esame è stato <u>una passeggiata</u>.	molto	_facile_ .
3.	Il tuo amico è <u>un pozzo di scienza</u>.	molto	_colto_ .
4.	Arnaldo è <u>un fascio di nervi</u>.	molto	_teso_ .
5.	Il suo arrivo è stato <u>una manna</u>.	molto	_utile_ .
6.	Giovanni è <u>un gigante</u>.	molto	_alto di statura_ .
7.	Dopo la malattia è diventato <u>uno scheletro</u>.	molto	_magro_ .
8.	Il dibattito è stato <u>uno strazio</u>.	molto	_noioso_ .
9.	Quel ragazzino è <u>un terremoto</u>.	molto	_vivace_ .
10.	Michele è <u>un genio</u>.	molto	_intelligente_ .

Se non avete saputo svolgere da soli l'esercizio potete ora scegliere gli aggettivi adatti tra i seguenti:

magro / noioso / alto di statura / intelligente / teso / colto / puntuale / facile / utile / vivace

intensità

15 *Nelle frasi seguenti indicate negli spazi appositi quando l'aggettivo sottolineato intensifica la parola a cui si riferisce* (**I**) *e quando invece la qualifica* (**Q**).

Esempio: Oggi fa un freddo <u>incredibile</u>   **_I_**
                Questa è una notizia <u>incredibile</u>.   **_Q_**

1. Antonietta è una donna <u>paurosa</u>.   _____

2. Si è trovato in una situazione <u>paurosa</u>.   _____

3. Ha avuto un successo <u>pauroso</u>.   _____

4. Il tuo amico ha un aspetto <u>mostruoso</u>.   _____

5. Il tuo amico ha un'intelligenza <u>mostruosa</u>.   _____

6. È una ragazza di <u>eccezionale</u> bellezza.   _____

7. In Italia non vogliamo leggi <u>eccezionali</u>.   _____

8. Hanno adottato un provvedimento <u>eccezionale</u>.   _____

9. Aveva un aspetto <u>solenne</u>.   _____

10. Lo spettacolo è stato un fiasco <u>solenne</u>.   _____

11. Il giornale è uscito in edizione <u>straordinaria</u>.   _____

12. Mi ha colpito per la sua <u>straordinaria</u> intelligenza.   _____

13. Questa estate ha fatto un caldo <u>infernale</u>.   _____

14. Ho una paura <u>infernale</u> di cosa può succedere.   _____

15. I cristiani credono nelle potenze <u>infernali</u>.   _____

16. La stella <u>polare</u> guida i naviganti.   _____

17. A casa dei tuoi amici faceva un freddo <u>polare</u>.   _____

18. Paolo e Francesca erano in preda a una passione <u>folle</u>.   _____

19. Ho un desiderio <u>folle</u> di partire.   _____

20. La sua mi sembra un'idea <u>folle</u>.   _____

Antonimia
Sinonimia
Intensità
Collocazione
Polisemia
Inclusione
Connotazione
Metafora
Derivazione
Residui e prestiti

4. Collocazione

4. COLLOCAZIONE

Nella lingua le parole si combinano fra loro, ma non tutte le combinazioni sono possibili e accettate. Ci sono parole che si accompagnano più spesso e più volentieri ad altre, formando gruppi lessicali privilegiati e rifiutando invece altri accostamenti. Ogni lingua ha combinazioni sue e, traducendo, occorre stare attenti a non dare per scontate quelle della propria lingua nativa.

Prendiamo ad esempio un verbo assai frequente: 'mangiare'. La sua collocazione abituale è, ovviamente, con i vari alimenti: mangiamo 'gli spaghetti', 'il pesce', 'la frutta', etc., ma non, di solito, alimenti liquidi. Non diciamo, infatti, *ho mangiato il caffè*, o *il thè*, o *l'aranciata*, anche se diciamo 'ho mangiato la minestra'. Naturalmente si possono mangiare anche altre cose: si può 'mangiare il fuoco' (nelle fiere) e si può metaforicamente, 'mangiare la foglia' (capire cose che altri volevano nascondere), ma non 'il fiore' (che si può 'cogliere', 'annaffiare', 'regalare', etc., ma non d'abitudine, 'mangiare'). Si può 'mangiarsi le unghie' (letteralmente) o, metaforicamente 'mangiarsi le mani' (per il rimpianto o per il dispiacere) ma non 'i piedi', né si può, di regola, *mangiare un libro* (che si può invece 'divorare') o 'una sedia' o 'un'automobile' o 'un innamorato' (che al massimo si può 'mangiare con gli occhi' in segno di grande ammirazione).

Il verbo 'mangiare' ha comunque capacità di combinarsi molto alte. Al contrario del verbo 'indire'. Che cosa si può 'indire'? 'un concorso', 'una conferenza-stampa', forse 'una selezione'. Praticamente è tutto qui. Anche 'redigere' accetta ben poco, forse solo 'il verbale' di una seduta o di un'assemblea, e si può 'stipulare' soltanto 'un contratto'. Una via di mezzo è 'fumare' che accetta complementi oggetto in numero molto limitato: 'una sigaretta', 'una MS' (o altre marche), 'la pipa' e poco d'altro. Accetta invece un numero maggiore di soggetti: animati (Filippo, l'idraulico, la maestra, etc.) e inanimati ('la pentola', 'il camino', 'il caffè', persino 'il cervello' umano quando si è molto stanchi intellettualmente). Combinazioni abituali sono: un '<u>bicchiere</u> di vino' ma un '<u>boccale</u> di birra', un '<u>pacchetto</u> di sale' e non una 'scatola' nonostante il sale sia piuttosto venduto in scatole e, al contrario, una '<u>scatoletta</u> di tonno' anche se la confezione abituale del tonno all'olio è in lattine e con le scatole ha ben poco a che fare.

Si dice 'credere <u>ciecamente</u>', 'rifiutare <u>categoricamente</u>' e 'lavorare <u>sodo</u>', ma i tre avverbi non sono intercambiabili in questi contesti. 'Abissale' può essere l''ignoranza', ma non la 'passione' che può essere 'folle', o 'travolgente' o 'sfrenata' o così via.

Numerosissime, e fonte di grosse difficoltà per chi impara la lingua italiana, sono le collocazioni proprio fisse: determinate parole, e solo quelle, creano gruppi obbligati, idiomi, forme proverbiali, espressioni cristallizzate dall'uso che non ammettono varianti. Si dice 'felice come una Pasqua' e mai 'come un Natale'; si dice 'bagnato come un pulcino' e non 'come una gallina'; per indicare che qualcosa è destinata a resistere poco nel tempo si dice che 'durerà da Natale a Santo Stefano' e non 'da San Silvestro a Capodanno'. Per rilevare in qualcosa un' incoerenza si dirà che 'non ha né capo né... coda' (sì, coda!); e se si vuole dire che 'la vita non è sempre facile' e si comincia con 'non sono tutte rose ...' non si può continuare a piacimento con '...e garofani' oppure '... e gioie': l'unica conclusione che la lingua consente è quella codificata in 'non sono tutte rose e fiori'.

Antonimia

Sinonimia

Intensità

Collocazione

Polisemia

Inclusione

Connotazione

Metafora

Derivazione

Residui e prestiti

Collocazione

Antonimia

Sinonimia

Intensità

Collocazione

Polisemia

Inclusione

Connotazione

Metafora

Derivazione

Residui e prestiti

1 Collegate i verbi della colonna **A** con le parole o le espressioni della colonna **B** con cui si collocano abitualmente.

	A		**B**	
1.	Gli ho <u>spedito</u>		una sigaretta	A
2.	Ti invito a <u>mangiare</u>		un vestito	B
3.	Adesso ci <u>beviamo</u>		il giornale	C
4.	Non <u>ascoltiamo</u> mai		un bicchiere di vino	D
5.	Non ho ancora <u>letto</u>		una pizza	E
6.	Devo proprio <u>stirare</u>		la radio	F
7.	Ho visto che <u>fumava</u>		un milione	G
8.	<u>Spenderete</u> almeno		una lettera	H

2 Terminate le frasi seguenti scegliendo fra le parole qui date quella con cui si colloca abitualmente ciascuno dei verbi sottolineati.

una causa / una punizione / una lacuna /
un desiderio / un concorso /
un'assemblea / un verbale / una protesta

1. Gli studenti hanno <u>inscenato</u> _____
2. Temo che dovremo <u>intentare</u> _____
3. Hanno di nuovo <u>indetto</u> _____
4. Ogni volta che cade una stella si <u>esaudisce</u> _____
5. Dobbiamo subito <u>convocare</u> _____
6. Devono ancora <u>redigere</u> _____
7. Occorre <u>colmare</u> ancora _____
8. Gli vogliono <u>infliggere</u> _____

3 Facendo attenzione alle parole sottolineate, inserite negli spazi vuoti le parole che con esse si associano quasi 'obbligatoriamente'.

1. Preferisco i film in <u>bianco</u> e _____
2. Sono stufo di passeggiare <u>su</u> e _____ per la stanza.
3. Avrà <u>più</u> o _____ vent'anni.
4. Sono sicuro che arriverà <u>prima</u> o _____
5. Camminava nervosamente <u>avanti</u> e _____

6. Devi decidere se vuoi stare <u>dentro</u> o _____
7. Lo guardava dall'<u>alto</u> in _____
8. Vivrete insieme nella <u>buona</u> e nella _____ sorte.
9. È una questione gravissima di <u>vita</u> o di _____
10. Alla stazione informati bene su <u>arrivi</u> e _____
11. Non capisco mai se quel negozio è <u>aperto</u> o _____
12. Con questi occhiali vedo bene sia da <u>lontano</u> che da _____

4 *Con le seguenti parole formate dieci coppie che risultano "fisse" in alcuni usi della lingua.*

> bastone / carta / testa / sale / rosso / olio /
> acqua / aceto / stelle / cane / sapone/
> nero / guardie / croce / carota / strisce /
> gatto / ladri / penna / pepe

1. *bastone* _____   *carota* _____
2. _____   _____
3. _____   _____
4. _____   _____
5. _____   _____
6. _____   _____
7. _____   _____
8. _____   _____
9. _____   _____
10. _____   _____

5 *Collegate gli elementi della colonna **A** con quelli della colonna **B** in modo da formare espressioni abituali.*

	A	**B**	
1.	una lattina di	carta	A
2.	una tazza di	zucchero	B
3.	un mazzo di	sigarette	C
4.	una bustina di	Coca-cola	D
5.	un tubetto di	tonno	E
6.	una stecca di	dentifricio	F
7.	un rotolo di	cioccolata	G
8.	una scatola di	carte	H

Antonimia

Sinonimia

Intensità

Collocazione

Polisemia

Inclusione

Connotazione

Metafora

Derivazione

Residui e prestiti

6 Collegate gli elementi della colonna **A** con quelli della colonna **B** in modo da formare espressioni abituali.

	A		**B**	
1.	un piatto di	torta		A
2.	una tazza di	birra		B
3.	una tazzina di	uva		C
4.	un fiasco di	pasta		D
5.	un boccale di	thè		E
6.	una fetta di	sale		F
7.	una presa di	caffè		G
8.	un grappolo di	vino		H

7 Le parole date qui di seguito indicano sfumature e tonalità che si accompagnano abitualmente ai colori in elenco. Ad ogni colore associate in modo corretto una o più sfumature.

latte / smeraldo / notte / fumo /
oro / confetto / cielo / ciliegia / mare / fuoco /
canarino / mela

1. giallo _____

2. giallo _____

3. verde _____

4. verde _____

5. blu _____

6. blu _____

7. rosso _____

8. rosso _____

9. bianco _____

10. azzurro _____

11. rosa _____

12. grigio _____

8 Terminate le frasi della colonna **A** con le parole della colonna **B** che si associano alle parole sottolineate in combinazioni privilegiate.

	A		B	
1.	Finalmente ho intravisto un <u>raggio di</u>		sangue	A
2.	In quella occasione ha avuto un <u>lampo di</u>		vergogna	B
3.	Dalla ferita uscì un <u>fiotto di</u>		ira	C
4.	È sprofondato in un <u>abisso di</u>		allegria	D
5.	Non tirava un <u>alito di</u>		pioggia	E
6.	Sono scappati al primo <u>scroscio di</u>		speranza	F
7.	I ragazzi hanno portato una <u>ventata di</u>		vento	G
8.	Non ho potuto trattenere uno <u>scatto di</u>		genio	H

9 Alcuni paragoni sono fissi perché codificati dall'uso. Collegate gli aggettivi della colonna **A** con il paragone corrispondente della colonna **B.**

	A		B		Risposte	
1.	grasso	come	l'olio	A	*1*	*E*
2.	fresco	come	un fuso	B		
3.	sordo	come	un verme	C		
4.	magro	come	una campana	D		
5.	liscio	come	un maiale	E		
6.	dritto	come	una rosa	F		
7.	nudo	come	un pesce	G		
8.	muto	come	un chiodo	H		

10 Terminate le seguenti espressioni fisse inserendo negli spazi vuoti paragoni obbligati da scegliere fra i seguenti.

1. lento come _____
2. bello come _____
3. nero come _____
4. solo come _____
5. sano come _____
6. curioso come _____
7. cieco come _____
8. grande come _____

un cane / un pesce
una talpa / una casa
una lumaca /
il carbone /
una scimmia / il sole

Collocazione

Antonimia

Sinonimia

Intensità

Collocazione

Polisemia

Inclusione

Connotazione

Metafora

Derivazione

Residui e prestiti

11 *Nelle frasi che seguono osservate i due paragoni proposti e cancellate quello che non si colloca abitualmente con il verbo sottolineato.*

1.   Quando gli riportarono la notizia, si mise a <u>piangere</u> *come una fontana / come un ruscello.*

2.   Nonostante i miei rimproveri <u>fuma</u> sempre *come un falò / come un turco.*

3.   Non ho sentito il telefono perché <u>dormivo</u> *come un leone / come un sasso.*

4.   È così grasso perché <u>mangia</u> *come un maiale / come un gatto.*

5.   Per il gran freddo <u>tremava</u> *come un velo / come una foglia.*

6.   È sempre ubriaco perché <u>beve</u> *come un imbuto / come una spugna.*

7.   Ai suoi racconti ho <u>riso</u> *come un matto / come un dromedario.*

8.   Per poter finire la relazione ho <u>lavorato</u> *come un tronco / come un mulo.*

12 *Le espressioni che seguono indicano un "tutto" delimitato da due "estremi" retti dalle preposizioni* **da** *e* **a** *che si trovano in correlazione. Per ogni frase inserite nello spazio vuoto l'"estremo" che si combina correttamente con quello sottolineato.*

1.   Ha mangiato tutti i biscotti dal <u>primo</u> all' _____.

2.   Sempre soffre l'uomo: dalla <u>nascita</u> alla _____.

3.   Quel ragazzo non fa niente dalla <u>mattina</u> alla _____.

4.   Era vestito di nuovo da <u>capo</u> a _____.

5.   Ho visto il film dall'<u>inizio</u> alla _____.

6.   Lo hanno squadrato dalla <u>testa</u> ai _____.

7.   Abbiamo perquisito la casa da <u>cima</u> a _____.

8.   Lavorava sempre, dall'<u>alba</u> al _____.

9.   Questa assicurazione ti protegge dalla <u>culla</u> alla _____.

10. La casa tremò dal <u>tetto</u> alle _____.

11. Il volume tratta l'argomento dalle <u>origini</u> ai _____.

12. Ho seguito il corso del fiume dalla <u>sorgente</u> alla _____.

13. Mi ha raccontato tutto dalla <u>A</u> alla _____.

14. Ho seguito la questione dall'<u>alfa</u> all'_____.

Se avete avuto qualche difficoltà vi potete aiutare ora con le parole qui date alla rinfusa:

tramonto / zeta / tomba / fondo / foce /
ultimo / sera / morte / piedi / omega / fondamenta /
nostri giorni / fine / piedi

13 *Nelle espressioni che seguono scegliete fra le alternative proposte l'unica che nell'uso si combina con la parola sottolineata.*

1. Dopo le nozze del re vissero tutti <u>felici e</u> _____.
   (tranquilli / sereni / contenti / fortunati)

2. Di lui si sanno ormai <u>fatti e</u> _____.
   (misfatti / dispetti / opinioni / fattacci)

3. Ti ho restituito i soldi e adesso siamo <u>pari e</u> _____.
   (dispari / impari / pronti / patta)

4. Quello che hai detto è una bugia <u>bella e</u> _____.
   (brava / chiara / sana / buona)

5. Per convincerlo ad andare gli prometteva <u>mari e</u> _____.
   (fiumi / monti / spiagge / vette)

6. Ha avuto delle difficoltà ma poi è arrivato <u>sano e</u> _____.
   (salvo / sicuro / bello / pulito)

7. Di quell'artista si conoscono <u>vita, morte e</u> _____.
   (opinioni / miracoli / opere / tentacoli)

8. Si può parlare di un disastro <u>vero e</u> _____.
   (falso / dimostrato / fatto / proprio)

9. Non ne parliamo più: la faccenda è <u>morta e</u> _____.
   (dimenticata / sepolta / archiviata / nascosta)

10. Non ne potevo più e gli ho detto tutto, <u>chiaro e</u> _____.
    (scuro / profondo / pieno / tondo)

14 *Scegliete fra quelli qui elencati gli elementi che obbligatoriamente si combinano con quelli sottolineati nelle frasi seguenti.*

> corna / vino / porci / bagagli / vegeto /
> corpo / famiglia / mosca / furia / fiamme

1. Non è morto affatto: è ancora <u>vivo e</u> _____.

2. In quel lavoro si sono impegnati <u>anima e</u> _____.

3. È uscito da casa in <u>fretta e</u> _____.

Antonimia

Sinonimia

Intensità

Collocazione

Polisemia

Inclusione

Connotazione

Metafora

Derivazione

Residui e prestiti

4. Sarà un marito perfetto: tutto <u>casa</u> e _____.

5. Per averlo con loro hanno fatto <u>fuoco</u> e _____.

6. Vi raccomando: su tutta la faccenda <u>zitti</u> e _____.

7. A quella cena hanno invitato <u>cani</u> e _____.

8. Sono arrivati con <u>armi</u> e _____.

9. Non vi dovete preoccupare: finirà tutto a <u>tarallucci</u> e _____.

10. Ora sono diventati amici ma un tempo diceva di lui <u>peste</u> e _____.

15 *Nelle frasi che seguono ci sono espressioni fisse, cristallizzate dall'uso. In ogni spazio vuoto inserite la parola che si colloca obbligatoriamente con quella sottolineata.*

1. La dieta che ha fatto mi sembra eccessiva: è diventato <u>pelle</u> e _____.

2. Non è facile descrivere quella ragazza: non è né <u>carne</u> né _____.

3. Mi aspettavo che arrivasse suo fratello, invece è venuto lui, in <u>carne</u> e _____.

4. La notizia era proprio imprevedibile e mi è arrivata tra <u>capo</u> e _____.

5. Il film mi è sembrato insensato: non aveva né <u>capo</u> né _____.

6. Non voglio vederti più: non uscirò con te né <u>oggi</u> né _____.

7. La questione è complicata e non si può risolvere dall'<u>oggi</u> al _____.

8. Ha perso la memoria e si dimentica le cose dal <u>naso</u> alla _____.

9. Le tue critiche non mi interessano affatto e non mi fanno né <u>caldo</u> né _____.

10. Hai detto delle vere assurdità: queste cose non stanno né in <u>cielo</u> né in _____.

Se avete avuto qualche difficoltà vi potete aiutare ora con le parole qui date alla rinfusa:

> *bocca / coda / ossa / ossa / terra /*
> *pesce / collo / domani / mai / freddo*

5. Polisemia

5. POLISEMIA

Una parola è polisemica quando esprime più di un significato. Osserviamone una da vicino. Che cosa vuol dire 'un espresso'?

Nelle tabaccherie o nei bar la sentiamo usare con significati diversi: 'Per favore, un espresso' si dice per chiedere un francobollo o un caffè; 'Mandami un espresso' per invitare l'interlocutore a spedire una lettera affrancata con francobollo espresso e nelle stazioni ferroviarie 'L'espresso per Pisa è in partenza dal binario 11' invita i viaggiatori interessati a salire sul treno. Non sempre, però, i diversi significati di parole polisemiche si corrispondono nelle lingue. Ciò costituisce uno degli scogli maggiori nell'apprendimento di una lingua straniera.

Le parole possono risultare polisemiche per motivi diversi. Per esprimere significati nuovi non è sempre necessario ricorrere a parole nuove: grazie alla polisemia, il patrimonio semantico di una lingua si arricchisce senza dover ricorrere a nuovi vocaboli. Spesso, attraverso l'uso, viene gradualmente attribuito un nuovo significato a parole già esistenti. La frase "Gavino ha comprato un montone" può far pensare a) che Gavino sia un allevatore di ovini e che abbia avuto bisogno di un'altra 'pecora maschio' oppure, b) che Gavino si sia comprato un cappotto di pelle di montone. In questo caso, la parola 'montone', oltre al suo significato originario, 'l'animale', ha assunto quello nuovo di 'cappotto o giacca fatta con la pelle dell'animale'.

Sono polisemiche anche quelle parole che hanno assunto un significato concreto e uno astratto. In "Ho scritto una poesia" e "L'appartamento ha la cucina troppo piccola" oppure" La poesia è un genere letterario" o "Mi piace la cucina italiana" abbiamo esempi di parole di questo tipo: 'poesia' e 'cucina' nei primi due esempi sono utilizzate in senso concreto mentre negli altri due in senso astratto.

Una parola può risultare polisemica per pura coincidenza fonologica fra due parole con etimologia e origine diverse, come, ad esempio 'mandarino[1]' e 'mandarino[2]'. La frase 'Ci sono ancora mandarini....?' può essere facilmente completata sia da '...in Cina' che '...nella fruttiera' perché la parola 'mandarino' ha due significati distinti, 'dignitario cinese' e 'una varietà di agrume'.

Vi sono poi parole polisemiche che, pur uguali nella forma, cioè omografe, si differenziano per il genere loro attribuito: 'il radio', al maschile, indica un osso dell'avambraccio, 'Leonardo si è fratturato <u>il radio</u> del braccio destro', o un elemento chimico '<u>Il radio</u> si usa in medicina', mentre al femminile, 'la radio', identifica non solo un apparecchio ricevente ma anche una stazione trasmittente '<u>Questa radio</u> non funziona bene', 'Ascolto sempre i concerti del<u>la Radio</u> vaticana'.

La frase "Simone è <u>nipote</u> di Gianni" è invece ambigua per la presenza di 'nipote': l'italiano infatti, a differenza di altre lingue, non distingue fra 'figlio (o figlia) del figlio (o della figlia)' e 'figlio (o figlia) del fratello o della sorella'. Abbiamo pertanto bisogno di un contesto linguistico più ampio o di altre conoscenze sui rapporti famigliari di Gianni per dare la giusta interpretazione alla frase. Nel nostro esempio, Gianni può essere tanto lo zio quanto il nonno di Simone.

C'è poi un numero ridotto di aggettivi che assumono significati diversi a seconda che precedano o seguano il nome a cui si riferiscono. Nella frase "Vi sono libri diversi sullo scaffale" 'diversi' vuol dire 'di argomenti vari', o anche 'di colore e forma differente', mentre nella frase "Vi sono diversi libri sullo scaffale" 'diversi' significa 'numerosi, svariati'.

Un caso a parte, infine, è quello delle numerosissime parole omografe che possono avere più di una funzione grammaticale e che pertanto appartengono a classi diverse: 'regolare', che può avere funzione di aggettivo ('coniugazione <u>regolare</u>') e di verbo ('<u>regolare</u> il traffico'), 'ora', che può essere nome ('Che <u>ora</u> è?') e avverbio ('Maurizio è arrivato <u>ora</u>'), 'vano', che funziona da nome ('Quanti <u>vani</u> ha la tua casa?') o aggettivo ('Finora questi provvedimenti sono risultati <u>vani</u>'), e 'suono' che in alcuni casi è nome ('il <u>suono</u> del campanello') e in altri verbo ('<u>suono</u> il piano'). Anche 'piano', è una di queste parole: secondo i casi può funzionare come nome ('Il loro <u>piano</u> è fallito'), da aggettivo ('Il terreno è <u>piano</u>') o da avverbio ('Parla <u>piano</u>!').

Antonimia

Sinonimia

Intensità

Collocazione

Polisemia

Inclusione

Connotazione

Metafora

Derivazione

Residui e prestiti

Polisemia

Inserite le seguenti parole polisemiche nella coppia appropriata di frasi.

1

> divisione/ eroina / etichetta / guida / papera /
> campagna / passato / penne /
> saggio / tempo / testata / voce

1. Non ho _____ da perdere.
    Oggi fa bel _____.

2. I Conti sono andati a vivere in _____ .
    Hanno fatto una nuova _____ pubblicitaria.

3. Antonio per mestiere fa la _____ turistica.
    L'ho letto sulla _____ della città.

4. L'_____ è una droga pericolosa.
    L'_____ del romanzo è bionda e bella.

5. Si è staccata l'_____ dalla bottiglia.
    Se vai a quella cerimonia devi rispettare l'_____.

6. Passami la calcolatrice: devo fare una _____ a tre cifre.
    Leo gioca a pallavolo in una squadra di prima _____.

7. Per favore, parlate a bassa _____! Ho mal di testa!
    L'istruzione pubblica è una _____ che pesa molto sul
    bilancio dello Stato.

8. Quell'annunciatore ha preso una _____.
    Si mangiano davvero le uova di _____?

9. Ho letto un _____ interessante sull'economia italiana.
    La mia maestra di piano organizza ogni anno un _____
    dei suoi allievi.

10. Lucia ha un _____ burrascoso.
    Per cena ho preparato un _____ di verdure.

11. Ho mangiato un bel piatto di _____ al pomodoro.
    L'astuccio è pieno di _____ e matite.

12. Nell'incidente Marco ha dato una tremenda _____ al parabrezza.
    Recentemente *La Stampa* ha cambiato la grafica della _____ .

Inclusione

Connotazione

Metafora

Derivazione

Residui e
prestiti

2 *Inserite in ciascuna coppia di frasi uno fra i seguenti participi passati di verbi polisemici.*

> battuto / investito / portato / osservato / riparato /
> seccato / staccato / trovato

1. Non avete _____ le regole del gioco.
    Anche tu hai _____ il suo strano comportamento?

2. Giulia ha _____ due materie a settembre.
    L'elettricista ha _____ l'interruttore della luce.

3. L'autista dell'autobus ha _____ un pedone sulle zebre.
    Mario ha _____ molto denaro in quell'impresa.

4. Il sole ha _____ tutta l'erba del prato.
    Mi hai proprio _____ con la tua insistenza.

5. Al concerto rock tutti insieme hanno _____ il tempo con le mani.
    Con mia sorpresa, l'atleta più anziano ha _____ tutti
    gli altri concorrenti.

6. Sabato scorso Carla ha _____ i bambini allo zoo.
    Non ho mai _____ la minigonna.

7. Finalmente ho _____ quello che cercavo.
    Ho _____ la conferenza mortalmente noiosa.

8. Il vincitore ha _____ gli altri corridori di 5 minuti.
    Hai _____ tu il quadro dal muro?

3 *Completate ciascuna coppia di frasi con una parola polisemica.*

1. Carlo ha inviato ieri la sua _____ di dimissioni.
    I nomi propri di scrivono con la _____ maiuscola.

2. Si è bevuto un intero _____ di vino!
    Quel film è stato un _____ clamoroso.

3. Guarda nell'_____ per sapere a che pagina comincia il terzo capitolo!
    Mi si è spezzata l'unghia dell'_____ destro.

4. Il _____ di questa camicia mi va stretto.
    I facchini si fanno pagare un tanto a _____ .

5. Quel tennista ha un _____ formidabile.
    Tina è andata in pensione dopo quarant'anni di _____.

6. La parola 'grammofono' è un _____ antiquato.
    È bene stabilire un _____ per la consegna dei lavori.

7. La bottiglia di acqua minerale che hai messo nel congelatore è diventata un _____ di ghiaccio.
   Devo andare in cartoleria a comprare un _____ per appunti.

8. Camilla è andata a fare _____ alla nonna.
   Credo che la sua _____ stia per fallire.

9. Non ho alcun _____ per i dibattiti televisivi.
   Le banche hanno abbassato il tasso di _____.

10. Nei supermercati si prende la merce da soli e si va a pagare alla _____.
    Franca conserva tutti i vecchi vestiti in una _____ in soffitta.

Se avete avuto difficoltà vi potete aiutare ora con le seguenti parole:

blocco / termine / collo / compagnia / cassa / fiasco / indice / lettera / interesse / servizio

4 *Completate ciascuna coppia di frasi della colonna di sinistra con una parola polisemica da scegliere nella colonna di destra.*

1.	a. Giannina non è venuta. Ha l' _____ .	processo	A
	b. Le sue idee hanno una grande _____ su tutti.		
2.	a. Stefano apre la casa a tutti ed è un _____ squisito.	dispensa	B
	b. A Graffignano, Margherita è stata _____ di Marinella.		
3.	a. Quel sacerdote per sposarsi ha bisogno della _____ dai voti.	passo	C
	b. La scatola dei biscotti è nella _____ .		
4.	a. Dimmi il _____ indicativo di 'essere'.		
	b. Molti anziani criticano il _____ e rimpiangono il passato.	influenza	D
5.	a. Non voglio fare un _____ a piedi in più.		
	b. In chiesa hanno letto un _____ del Vangelo.	tetto	E
6.	a. Nel _____ di primo grado è stato condannato a otto anni.		
	b. L'evaporazione dell'acqua è un _____ facilmente osservabile.	ospite	F
7.	a. I Masini abitano in _____ Rinascimento.		
	b. Vicino alla strada c'è un piccolo _____ d'acqua.	presente	G
8.	a. È caduta una tegola dal _____ .		
	b. Stabiliamo un _____ massimo di spesa.	corso	H

69

5 Completate le frasi con una delle parole seguenti che vi vengono usate con significati diversi.

1. Solo una _____ della sua famiglia è al corrente.

2. Abbasso la serranda: ho il _____ del sole negli occhi.

3. Mia cugina suona benissimo il _____ .

4. Vorrei un biglietto per Venezia di seconda _____.

5. Rosina è molto affidabile. Fa tutto con il massimo _____.

> rete / riflesso /
> piano / parte /
> rigore /
> classe / relazione /
> puntata

6. L'Italia ha una buona _____ autostradale.

7. Stasera c'è l'ultima _____ del teleromanzo nella quale sapremo il nome dell'assassino.

8. Per un impegno improvviso ho dovuto fare una _____ a Milano.

9. C'è un intervallo di 15 minuti fra la prima e la seconda _____ del concerto.

10. Lidia abita al quinto _____ senza ascensore.

11. Da quale _____ vai?

12. È stata una partita noiosa: non hanno segnato neanche una _____.

13. Quell'attore è poco adatto a fare la _____ del protagonista.

14. Questo programma è trasmesso dalla prima _____ della RAI.

15. Non dirmi che non sapevi che Egle e Andrea hanno una _____ !

16. La sua decisione ha avuto un _____ positivo su tutta la faccenda.

17. Vittoria ha i capelli biondi con un bel _____ ramato.

18. Chi si è mangiato la mia _____ di torta?

19. Manca un _____ organico di intervento nella zona del terremoto.

20. Marcella è una persona di gran _____.

21. È dicembre e il _____ dell'inverno si fa a sentire.

22. Al gioco del Lotto quanto è la _____ minima?

23. Fra i due fatti c'è sicuramente una _____.

24. Hanno vinto solo perché l'arbitro ha concesso un _____.

25. Alessandra va a scuola al 'Virgilio' e sta in _____ con Alberto.

26. L'assassino prima o poi cadrà nella _____ della polizia.

27. Il professore è stato invitato a tenere la _____ introduttiva al convegno.

28. A tennis, se la palla tocca la _____ la battuta non è valida.

6 *Completate le frasi con una delle seguenti parole che possono avere significato sia astratto che concreto.*

> *bicchiere / cucina / forchetta / piatti / tavola*

1. Sa preparare molti _____ prelibati.

2. Avete apparecchiato la _____ ?

3. Se vai in _____, controlla il dolce nel forno.

4. Mi passi il cucchiaio e la _____ da portata, per favore?

5. Accidenti ! Si è rotto un _____ da vino!

6. Aldo è una buona _____. Starebbe a tavola per ore.

7. La _____ italiana è apprezzata in tutto il mondo.

8. Oggi c'è minestra. Apparecchiate con i _____ fondi.

9. A _____ non si invecchia.

10. Passi da noi a bere un _____ prima di cena ?

7 *Nello spazio dato scrivete una **A** se la parola sottolineata è usata in senso astratto e una **C** se usata in senso concreto.*

1. La platea del teatro ha circa 850 posti. ____

2. Questa musica è proprio assordante. ____

3. In Italia la scuola media dura tre anni. ____

4. Questa medicina è un toccasana per lo stomaco. ____

5. Al cinema Fiamma danno un film di Bertolucci. ____

6. Abito non lontano da piazza Cavour. ____

7. Hai letto il romanzo vincitore del premio Strega? ____

8. Ho un abbonamento per il teatro Parioli. ____

9. La prof. Colucci insegna alla scuola 'Alessandro Severo'. ____

10. Il teatro di Pirandello è rappresentato in tutto il mondo. ____

11. Mi piace molto la musica da camera. ____

12. Quel medico pratica la medicina omeopatica. ____

13. Il cinema italiano deve molto a Vittorio de Sica. ____

14. La stampa di questo libro è di qualità pessima. ____

15. Mi divertono le comiche del cinema muto. ____

16. Tutta la platea ha chiesto un bis. ____

17. La poesia "Ed è subito sera" è di Quasimodo. ____

18. La stampa è considerata il quarto potere. ____

19. Michele è iscritto al quarto anno di medicina. ____

20. La piazza inferocita voleva linciare il rapinatore. ____

8 *Le parole date a lato possono sostituire solo una delle parole sottolineate in ciascuna coppia di frasi. Collegate con frecce ogni parola con il suo sinonimo.*

1. a. Ha preso una bella sbandata per Maria. b. Ha fatto una brutta sbandata con la macchina.	cotta

2. a. Ha piantato la moglie. b. Ha piantato dei fiori in giardino.	abbandonato

Antonimia

Sinonimia

Intensità

Collocazione

Polisemia

Inclusione

Connotazione

Metafora

Derivazione

Residui e prestiti

3. a. Ha fatto un <u>intervento</u> al convegno.
    b. Ha avuto un <u>intervento</u> allo stomaco.   operazione

4. a. Ha <u>saldato</u> tutti i fili.
    b. Ha <u>saldato</u> il conto.   pagato

5. a. Il rag. Giusti si trova in <u>direzione</u>.
    b. È venuto da quella <u>direzione</u>.   parte

6. a. È <u>avanzato</u> un po' di dolce.
    b. È <u>avanzato</u> nella carriera.   rimasto

7. a. Sei mai andato ad ascoltare un'<u>opera</u> a teatro?
    b. Ha fatto veramente un'<u>opera</u> buona.   azione

8. a. Il cameriere ha <u>compreso</u> anche il vino nel conto?
    b. Non ho <u>compreso</u> quello che hai detto.   incluso

9 *Le seguenti parole hanno significato diverso a seconda del genere. Inseritele nelle coppie di frasi appropriate.*

il rosa / la rosa	*il radio / la radio*
il viola / la viola	*il lama / la lama*
il capitale / la capitale	*il fine / la fine*
il fronte / la fronte	*il boa / la boa*

1. Ha il braccio ingessato perché si è fratturato _____ .
    C'è una trasmissione interessante. Accendi _____!

2. _____ è un animale che vive in Sudamerica.
    Attento! _____ di quel coltello è molto tagliente!

3. _____ di questi ciclamini è molto intenso.
    Al conservatorio Guido ha cominciato a suonare _____ .

4. _____ è la regina dei fiori.
    Che bel vestito! Come ti sta bene _____!

5. Roma è _____ d'Italia.
    Credo che _____ di quella società sia di cinque miliardi.

6. Tutti gli studenti aspettano con ansia _____ della   scuola.
    Non mi è chiaro _____ della sua proposta.

7. Ho trovato _____ di struzzo che portava mia nonna.
    Dopo _____ di partenza tutte le barche hanno preso il vento.

8. Il bambino deve avere la febbre: gli scotta _____ .
    _____ della frana sta avanzando rapidamente.

10 *Scrivete* **N** *se le parole sottolineate hanno funzione di nome e scrivete* **V** *se hanno funzione di verbo.*

1. <u>Cammino</u> volentieri.   _____

2. Mettiamoci in marcia! Il <u>cammino</u> è lungo.   _____

3. L'ottone è una <u>lega</u>.   _____

4. Il limone <u>lega</u> bene con il fritto.   _____

5. La p<u>orta</u> è chiusa.   _____

6. Concetta p<u>orta</u> un maglione rosso.   _____

7. Questo coltello non <u>taglia</u> più.   _____

8. Hanno messo una <u>taglia</u> sugli assassini.   _____

9. Che <u>colori</u> vanno di moda quest'anno?   _____

10. Perché non <u>colori</u> questo disegno?   _____

11. Il tuo discorso non <u>fila</u>.   _____

12. Il comm. Resta è seduto in prima <u>fila</u>.   _____

13. Ti è piaciuta la <u>mostra</u> sugli Etruschi?   _____

14. Filippo <u>mostra</u> molto interesse per Letizia.   _____

15. Devo fare la p<u>unta</u> alla matita.   _____

16. Alberto p<u>unta</u> sempre sul nero.   _____

17. Stasera <u>crollo</u> dalla stanchezza.   _____

18. È morta una persona nel <u>crollo</u>.   _____

19. Hai <u>impegni</u> per questa sera?   _____.

20. Non ti <u>impegni</u> più come prima.   _____

11 *Decidete se le parole sottolineate hanno funzione di nome , aggettivo, verbo o avverbio e fate una crocetta nella casella corrispondente.*

	Nome	Aggettivo	Verbo	Avverbio
1. Il nonno è <u>solo</u> in casa.				
2. Voglio <u>solo</u> stare in pace.				
3. I tuoi sforzi sono <u>vani</u>.				
4. L'appartamento ha cinque <u>vani</u>.				
5. Anna ama <u>tanto</u> Stefano.				
6. Pagheremo un <u>tanto</u> a testa.				
7. Questo paesaggio è proprio <u>piatto</u>.				
8. Mangi l'insalata nello stesso <u>piatto</u>?				
9. Che prendi di primo <u>piatto</u>?				
10. A che <u>piano</u> va lei?				
11. Il suo è stato un discorso <u>piano</u>.				
12. Devo far accordare il <u>piano</u>.				
13. Parla più <u>piano</u>, se no lo svegli.				
14. I ladri hanno studiato bene il <u>piano</u>.				
15. Il <u>forte</u> Braschi si trova a Roma.				
16. In macchina va troppo <u>forte</u>.				
17. Giorgia è <u>forte</u> in matematica.				
18. La puntualità non è il tuo <u>forte</u>.				
19. Per andare in Sicilia bisogna passare lo <u>stretto</u> di Messina.				
20. Il presidente ha <u>stretto</u> le mani a tutti .				
21. Questo cappello è troppo <u>stretto</u> per me.				
22. Attento! La pistola è <u>carica</u>!				
23. 'La <u>carica</u> dei 600' è un famoso film.				
24. La mia lavabiancheria si <u>carica</u> dall'alto.				
25. Nella foto Lucia è la <u>prima</u> ragazza a sinistra.				
26. Mi piacerebbe andare a una <u>prima</u> del Teatro alla Scala.				
27. Non potevi dirmelo <u>prima</u>?				
28. Vorrei un biglietto di <u>prima</u> classe.				
29. Il <u>massiccio</u> del Monte Bianco si trova fra l'Italia e la Francia.				
30. Questa statua è di oro <u>massiccio</u>.				

Antonimia

Sinonimia

Intensità

Collocazione

Polisemia

Inclusione

Connotazione

Metafora

Derivazione

Residui e prestiti

12 *Alcuni aggettivi cambiano significato a seconda che precedano o seguano il nome. Collegate ogni frase della colonna di sinistra con l'equivalente nella colonna di destra.*

| 1. | a. Sull'accaduto ho sentito <u>notizie diverse</u>. | 1. Molte notizie. |
| | b. Sull'accaduto ho sentito <u>diverse notizie</u>. | 2. Notizie contrastanti. |

| 2. | a. Quell'edizione di *Arlecchino* è uno <u>spettacolo unico</u>. | 1. Un solo spettacolo. |
| | b. Oggi fanno un <u>unico spettacolo</u>. | 2. Uno spettacolo bellissimo. |

| 3. | a. Le <u>famiglie numerose</u> sono ormai rare. | 1. Molte famiglie. |
| | b. In questo palazzo abitano <u>numerose famiglie</u>. | 2. Famiglie con molti figli. |

| 4. | a. Ho avuto <u>informazioni certe</u> sulla situazione attuale. | 1. Alcune informazioni. |
| | b. Ho avuto <u>certe informazioni</u> sulla situazione attuale. | 2. Infomazioni sicure. |

| 5. | a. È una <u>semplice domanda</u>. | 1. E' soltanto una domanda. |
| | b. È una <u>domanda semplice</u>. | 2. Non è complicata. |

| 6. | a. È un <u>alto magistrato</u>. | 1. Di statura alta. |
| | b. È un <u>magistrato alto</u>. | 2. Di alto grado. |

| 7. | a. Ha comprato una <u>moto nuova</u>. | 1. Una moto costruita da poco. |
| | b. Ha comprato una <u>nuova moto</u>. | 2. Un'altra moto. |

| 8. | a. Ho incontrato due <u>vecchi amici</u>. | 1. Amici che conosco da molto tempo. |
| | b. Ha vent'anni ma ha tutti <u>amici vecchi</u>. | 2. Amici che hanno una certa età. |

6. Inclusione

6. INCLUSIONE

Ci sono parole che hanno significati molto ampi e altre che hanno significati più ristretti. 'Mobile' appartiene al primo tipo mentre 'sedia' appartiene al secondo. Tra queste due parole esiste una relazione semantica di inclusione: il significato di 'sedia' è incluso in quello di 'mobile', ma non viceversa. Possiamo inoltre dire che 'mobile' è una parola generale che include, oltre a quello di 'sedia,' anche il significato di 'armadio', 'tavolo', 'scrivania', 'cassettone', 'libreria', etc., tutte parole specifiche che, per l'appunto, sono dei mobili. 'Mobile' quindi è iperonimo di 'sedia' e 'armadio', 'tavolo' etc. che, di converso, sono suoi iponimi. L'insieme degli iponimi di uno stesso termine viene a costituire un campo semantico omogeneo.

Gli iponimi esprimono significati di maggior precisione. Ad esempio, se entriamo in un negozio di abbigliamento e chiediamo genericamente: «Vorrei vedere un <u>vestito</u>...» siamo di solito invitati dal commesso a specificare: «Elegante (o sportivo)?», «In quale tessuto?» o anche «Ha un colore preferito?» «Vorrei un <u>tubino elegante</u>,... <u>di seta</u>,... <u>blu</u>» sarà la replica che, utilizzando iponimi di 'vestito', 'tessuto' e 'colore' definirà meglio la nostra richiesta iniziale.

Agli iperonimi ricorrono a volte i dizionari per dare spiegazioni o definizioni: se sul vocabolario cerchiamo il significato di 'bassotto' troviamo 'cane...etc.', se poi cerchiamo 'cane' troviamo 'mammifero domestico...etc.', se andiamo a vedere 'mammifero' troviamo, fra altri significati, 'animale...etc.'. Nel dare i significati, dunque, ci serviamo di gerarchie in cui il termine generale implica nel suo significato tutti gli altri via via più specifici: nel nostro caso, 'bassotto' implica 'cane', 'cane' a sua volta implica 'mammifero' e 'mammifero' implica 'animale'. Nel parlare quotidiano, tuttavia, non vengono usati tutti i termini di questa sorta di catena. Al posto di 'bassotto', possiamo usare 'cane' e 'animale', ma difficilmente parole poco frequenti quali 'mammifero', o peggio 'mammifero domestico', che appartengono a settori specialistici.

Usiamo iperonimi anche per riferirci a qualcosa di cui si è già parlato: per esempio, alla domanda «Ti è piaciuta <u>Roma</u>?» potremo replicare con «Sì, è una <u>città</u> straordinaria», o possiamo rifiutare un invito quale «Vieni da me a vedere <u>Napoli-Milan</u> in TV»? con «Grazie, non mi interessano le <u>partite di calcio</u>».

Usiamo parole iperonime anche per evitare ripetizioni. Se qualcuno ci informa che «C'è stato uno <u>scontro</u> tremendo» potremo chiedere ulteriori informazioni al riguardo con «S'è fatto male qualcuno nell'<u>incidente</u>?» utilizzando così il termine più generale 'incidente' per non ripetere 'scontro'. Quando alla televisione sentiamo che «a causa della nebbia una ventina di veicoli si sono tamponati sull'autostrada» ci rassicuriamo subito nell'apprendere che «nell'<u>incidente</u> non ci sono stati feriti», dove incidente è invece utilizzato come 'incapsulatore' di tutta l'informazione precedente. Se ho già parlato di 'automobile', volendo evitare la ripetizione di questa parola, ho a disposizione il termine 'vettura'. Ma questo termine più ampio include nel suo significato, e può quindi sostituire, anche 'autobus', 'carrozza ferroviaria', 'pullman', etc.. Sempre per non ripetere 'automobile', possiamo ricorrere a 'veicolo'; tuttavia 'veicolo' oltre ai precedenti mezzi di trasporto, comprende 'camion', 'tir', 'motocicletta' 'bicicletta', 'motorino', etc.. 'Automobile' può anche essere sostituito da 'macchina', parola che, però, indica moltissimi altri meccanismi, da quello dell'orologio a quello dei motori delle navi o degli aerei, dei quali pertanto è iperonimo. Così, 'vettura', 'veicolo' e 'macchina' sono tutte e tre parole iperonime di 'automobile', anche se non sinonime tra loro perché comprendono nel loro significato iponimi diversi.

Parole iperonime possono definirsi anche 'tipo', 'affare', 'posto', etc., che hanno la caratteristica di avere un significato così generale da poter essere usate in numerosissimi casi.

Alcuni verbi, come 'dire', e 'portare', avendo una parte di significato in comune con altri, hanno la possibilità di entrare in contesti molto variati e di essere pertanto considerati parole iperonime: il primo, poiché include nel suo significato, fra gli altri, quello di 'suggerire', di 'chiedere', di 'bisbigliare', può sostituire questi verbi in contesti come '«Cristoforo Colombo è sbarcato in America nel 1492» disse (<u>suggerì</u>) Tullia alla compagna', o anche «Vorrei due scatole di fiammiferi» disse (<u>chiese</u>) la signora al tabaccaio', oppure «Avvertite la mia famiglia» disse (<u>bisbigliò</u>) prima di svenire'. Nelle frasi 'Adriano non <u>porta</u> mai i maglioni a collo alto', 'Riccardo lo <u>porta</u> a scuola Enrico', '<u>Hanno portato</u> un pacco per te', 'Camilla <u>porta</u> bene la macchina', il verbo, 'portare', invece, può essere sostituito di volta in volta da 'indossare', 'accompagnare', 'recapitare' e 'guidare'.

Antonimia

Sinonimia

Intensità

Collocazione

Polisemia

Inclusione

Connotazione

Metafora

Derivazione

Residui e prestiti

Inclusione

1   *Raggruppate le seguenti parole in modo da costituire gruppi omogenei.*

> armadio / lavatrice / bicicletta / camicia / frigorifero /
> treno /aereo / gonna / lavastoviglie / letto / maglione /
> nave / pantaloni / poltrona / radio / cappotto / sedia /
> tavolo / televisore / automobile

1	2	3	4
____	____	____	____
____	____	____	____
____	____	____	____
____	____	____	____
____	____	____	____

2   *Per ciascun gruppo dell'esercizio **1** trovate l'iperonimo appropriato, cioè la parola che contiene tutte le altre. Scegliete fra i seguenti.*

Gruppo 1   : _____

Gruppo 2   : _____

Gruppo 3   : _____

Gruppo 4   : _____

> elettrodomestici
> / indumenti /
> veicoli / mobili

3   *Fra i seguenti gruppi di parole identificate l'iperonimo, cioè la parola che include tutte le altre tre, e sottolineatelo.*

1.	braccialetto	collana	gioiello	anello
2.	calcio	canottaggio	pugilato	sport
3.	argento	oro	platino	metallo
4.	abete	albero	cipresso	pioppo
5.	fiore	genziana	iris	papavero
6.	diamante	rubino	smeraldo	pietra preziosa
7.	coltello	cucchiaio	forchetta	posata
8.	cotone	lana	seta	fibra naturale
9.	salumeria	macelleria	negozio	panificio
10.	orologio	pendola	sveglia	orologio da polso
11.	biro	pennarello	penna	stilografica
12.	ballerine	mocassini	sandali	scarpe
13.	tigre	belva	leone	pantera
14.	bagno	cucina	soggiorno	stanza
15.	bottiglia	recipiente	bidone	secchio
16.	bar	locale	ristorante	pizzeria

4 Per ciascun gruppo di piatti o alimenti della cucina tradizionale italiana scrivete l'iperonimo appropriato da scegliere fra i seguenti.

> piatti di carne / dolci / formaggi /
> frutta / minestre / pasta / pesci / verdura

1. _____ provolone / caciocavallo / ricotta
2. _____ crostata / babà / panettone
3. _____ bucatini / rigatoni / penne
4. _____ pasta e lenticchie /orzo e fagioli /quadrucci con piselli
5. _____ straccetti / involtini / scaloppine
6. _____ orata / dentice / triglia
7. _____ melanzane / peperoni / cicoria
8. _____ mandarini / castagne / albicocche

5 Raggruppate le parole date nell'esercizio **4** in modo diverso da quello lì proposto scrivendo gli iponimi appropriati per ciascuno degli iperonimi che seguono.

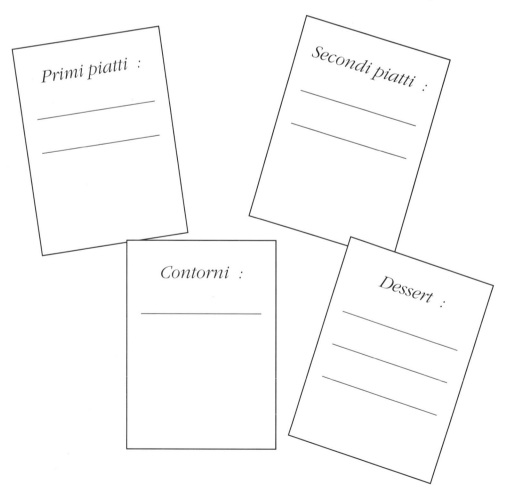

Primi piatti :

Secondi piatti :

Contorni :

Dessert :

6 *Fra i seguenti gruppi di parole cancellate quella estranea.*

Esempio: dalia / margherita / ~~mela~~ / rosa

1. carta / scrivania / sedia / tavolo
2. mano / piede / testa / occhiali
3. poltrona / radio / sedia/ sgabello
4. cane / cavallo / mucca / prato
5. albergo / bambino / ragazzo / giovanotto
6. automobile / bicicletta / treno / strada
7. grattacielo / macchina / palazzo / villetta
8. armadio / calzoni / camicia / giacca
9. azzurro / arcobaleno / giallo / rosso
10. borsa a tracolla / ventiquattr'ore / cartella/ pennarello
11. balcone / terrazza / vaso / veranda
12. padella / spazzola / tegame / teglia
13. bagno / corridoio / ingresso / tetto
14. cinema / giorno / musica / teatro
15. telefono / cappello / ombrello / sciarpa
16. storia / geografia / scienze / viaggio
17. campagna / dolce / montagna / mare
18. orecchie / finestra / occhi / sopracciglia
19. scodella / cestino / tazza / piatto
20. buio / mattina / pomeriggio / sera

7 *Mettete in ordine le sequenze di parole dal termine più generale a quello più specifico in modo che la prima includa la seconda, la seconda la terza e la terza la quarta.*

1. piano / città / palazzo / quartiere
   <u>città / quartiere / palazzo / piano</u>

2. appartamento / palazzo / stanza / isolato
   _____ _____ _____ _____

3. anno / giorno / mese / secolo
   _____ _____ _____ _____

4. storia del Risorgimento / materia scolastica / storia /storia italiana
   _____ _____ _____ _____

5. animale / felino / gatto / persiano
   _____ _____ _____ _____

Antonimia

Sinonimia

Intensità

Collocazione

Polisemia

Inclusione

Connotazione

Metafora

Derivazione

Residui e prestiti

6. atletica / atletica leggera / salto in alto / sport

   _____ _____ _____ _____

7. città / continente / nazione / regione

   _____ _____ _____ _____

8. arrosto / pasto / portata / pranzo

   _____ _____ _____ _____

9. bambina / donna / neonata / persona

   _____ _____ _____ _____

10. biblioteca / pagina / parola / libro

   _____ _____ _____ _____

8 *Completate i seguenti dialoghi con l'iperonimo appropriato delle parole sottolineate.*

1. - Giovanna ha ricevuto una bellissimo mazzo di margherite.
   - Sarà contenta. Sono proprio i suoi _____ preferiti.

2. - Francesca si veste spesso di rosso.
   - È il _____ che le sta meglio.

3. - Ci sono ancora mele in frigorifero?
   - Vai a vedere ma credo che tutta la _____ sia finita.

4. - Bruno non fa che mangiare biscotti e caramelle.
   - E poi si lamenta se ingrassa. Con tutti quei _____ !

5. - Mamma, voglio un cane!
   - Lo sai che non voglio _____ in casa.

6. - Giorgio ha cominciato a suonare il trombone.
   - Come mai ha scelto questo _____ ?

7. - Valeria è appassionata di scherma.
   - Anche sua sorella ama molto questo _____ .

8. - Guglielmo è stato rimandato in fisica e chimica.
   - Sono le due _____ in cui non è mai andato bene.

9. - Che dici, mi compro questi jeans?
   - Tu stai benissimo in _____ .

10. - Mi hanno rubato la patente e la carta di identità.
    - Tenevi tutti e due i _____ nella borsa?

Antonimia

Sinonimia

Intensità

Collocazione

Polisemia

Inclusione

9 Completate i mini-dialoghi che seguono con le parole o le espressioni appropriate scegliendole fra le seguenti.

> storia dell'arte / Natale / l'autobus / il Chianti /
> gli orecchini / l'AIDS / oche / larici / una crema per le mani /
> il treno / Pasqua / le spille / Lecce / latino / Bari /
> abeti / galline / appartamenti / il Barolo / i concerti /
> un rossetto / i balletti / il cancro / villette

1. A. Quali <u>gioielli</u> usi di più?
   B. Non metto mai _____ mentre mi piacciono molto _____ .

2. A. In quali <u>materie</u> trova difficoltà tuo figlio a scuola?
   B. Non è molto bravo né in _____ né in _____ .

3. A. Che <u>mezzi di trasporto</u> ci sono da Firenze a Siena?
   B. Io prendo sempre _____ ma si può usare anche _____ .

4. A. Dimmi quali <u>festività</u> sono più care agli italiani?
   B. Io direi _____ e _____ .

5. A. Quali <u>città</u> avete visitato durante il vostro soggiorno italiano?
   B. Siamo stati a lungo a _____ ma solo qualche giorno a _____ .

6. A. Che tipo di <u>alberi</u> si trovano sulle Alpi?
   B. Soprattutto _____ e _____ .

7. A. In campagna tenete <u>animali da cortile</u>?
   B. Certo, _____ e _____ .

8. A. In che tipo di <u>casa</u> abitano in genere i tuoi amici?
   B. Quasi tutti in _____ e solo alcuni in _____ .

9. A. Quali <u>malattie</u> ti fanno più paura?
   B. _____ e _____ .

10. A. Quale <u>vino</u> mi consigli di servire con l'arrosto?
    B. Penso che vadano bene sia _____ che _____ .

11. A. Quali <u>cosmetici</u> hai comprato in profumeria?
    B. Solo _____ e _____ .

12. A. Ti piacciono tutti gli spettacoli?
    B. No, non mi interessano per niente _____ mentre
       adoro _____ .

10 Questo dialogo si svolge fra un cameriere di ristorante e un cliente. Completatene le battute con l'iperonimo 'alimentare' appropriato.

1. - Vuole un _____ ?
   - Sì, prosciutto e melone, grazie.
2. - Che cosa vuole per _____ ?
   - Spaghetti alla carbonara.
3. - Gradisce una trota al cartoccio?
   - No, non amo il _____ .
4. - Allora mangia _____ ?
   - Sì, un saltimbocca alla romana.
5. - Di _____ facciamo delle patatine?
   - No, insalata verde.
6. - Mi porti anche del _____. Del provolone, per favore.
7. - Prende del _____ ? Un tiramisù?
   - No, grazie.
8. - E da bere? Va bene un rosso della casa?
   - No, niente _____.
9. - _____ ?
   - Sì una mezza gassata.
10. - E per finire un _____.
    - Ci vuole proprio un Fernet o un grappino!

Se avete avuto difficoltà vi potete aiutare ora con le seguenti parole:

acqua / carne / primo / contorno / antipasto / digestivo / dolce / formaggio / pesce / vino

11 Conoscete alcuni aspetti dell'Italia? Completate le frasi con l'iperonimo appropriato.

1. *Alberto Moravia* è l'_____ italiano contemporaneo più conosciuto all'estero.

2. A Firenze i turisti vogliono visitare gli *Uffizi*, il più famoso _____ italiano.

3. *Il nome della rosa* è stato tradotto in molte lingue, ma a me quel _____ non è piaciuto molto.

4. I Furini hanno comprato una *Alfa 164*. Finalmente una _____ come si deve!

5. In TV hanno dato un vecchio film con *Eleonora Duse*, la famosa _____ degli anni Trenta.

6. Credo che l'*Aida* sia l' _____ più famosa di Verdi.

7. Ti ricordi *La dolce vita*? Io avrò visto quel _____ mille volte!

8. Ho passato una bellissima vacanza in *Toscana*, una _____ così ricca di storia!

Se avete avuto difficoltà vi potete aiutare ora con le seguenti parole:

attrice / autore / film / macchina / museo / opera / regione / romanzo

12 *Completate le frasi scegliendo la parola appropriata fra le alternative date.*

1. Antonio fece un passo indietro. Era l'unica _____ che gli restava.
   (mossa / faccenda)

2. Il poveretto aveva i brividi. Era il primo _____ della polmonite.
   (problema / sintomo)

3. Angela andò a passeggiare nel parco. Era il _____ che più amava.
   (fatto / luogo)

4. Se passi da noi nel pomeriggio ci fai piacere. Non è un _____ formale.
   (invito / consiglio)

5. Silvio ha pagato pochissimo il suo appartamento. Che _____ ha fatto!
   (progetto / affare)

6. Tutti conoscevano già le relazioni sul bilancio e le previsioni di spesa! Eppure erano _____ riservati!
   (documenti / problemi)

7. Ho paura dell'epatite. È una _____ seria.
   (operazione / malattia)

8. Isa fa sempre delle critiche, ma i suoi _____ non interessano a nessuno.
   (problemi / giudizi)

9. Non vedo l'ora che finisca! È il mio più grande _____!
   (desiderio / invito)

10. Sono in ritardo perché mi si è fermato l'orologio. Davvero, non è una _____ .
    (opinione / scusa)

Antonimia

Sinonimia

Intensità

Collocazione

Polisemia

Inclusione

Connotazione

Metafora

Derivazione

Residui e prestiti

13 *Completate le frasi scegliendo fra i nomi generali seguenti.*

1. Giuseppe è sempre molto gentile. È veramente una _____ squisita.

2. Che c'è di bello da fare lì? Non sono mai stata in quel _____.

3. Pensa di potercela fare da solo. Che _____ !

4. Durante la premiazione mi batteva forte il cuore. Che _____ emozionante!

5. Giorgio è convinto di essere il più bravo di tutti. Come gli sarà venuta questa _____ ?

6. Alle cinque ha telefonato Roberto, ma in quel _____ non ero in casa.

7. Sono stato nel bosco, un _____ per me sempre pieno di fascino.

8. Ha fissato l'appuntamento nel pomeriggio, l'unico _____ libero della giornata.

9. Andare in motorino da Perugia a Firenze: che _____ pazza!

10. Gabriele, solo a vederlo, fa sbadigliare: che _____ noiosa!

11. Vorresti vivere in un'isola deserta, in un _____ lontano da tutto e tutti?

12. Ne parliamo più tardi a ricreazione. Fino a quel _____ non sarò libero.

> idea / momento / persona / posto

14 *Sostituite il verbo <u>prendere</u> con un altro di significato più ristretto scegliendolo fra quelli proposti.*

1. Raffaele è uscito a <u>prendere</u> le sigarette.   _____
   (a. conquistare / b. comprare / c. cogliere)

2. Savina è andata a <u>prendere</u> le zucchine nell'orto.   _____
   (a. afferrare / b. raccogliere / c. catturare)

3. È molto facile <u>prendere</u> la tua voce per quella di tua madre.   _____
   (a. ricevere / b. scambiare / c. scegliere)

4. Quanto potrà <u>prendere</u> al mese un fattorino?   _____
   (a. accettare / b. guadagnare / c. comprare)

Antonimia

Sinonimia

Intensità

Collocazione

Polisemia

Inclusione

Connotazione

Metafora

Derivazione

Residui e
prestiti

5. Non <u>prendere</u> sempre la macchina per andare in ufficio!   _____
   (a. usare / b. acquistare / c. raggiungere)

6. Prima o poi riusciranno a <u>prendere</u> l'assassino.   _____
   (a. rubare / b. catturare / c. ritirare)

7. Questo materiale dovrebbe <u>prendere</u> bene il colore.   _____
   (a. intendere / b. scegliere / c. assorbire)

8. Sono riuscito a <u>prendere</u> per miracolo il bicchiere
   che stava cadendo.   _____
   (a. afferrare / b. assumere / c. attirare)

15 *Sostituite il verbo __fare__ con un verbo più specifico scelto fra i seguenti.*

> *acceso / calcolato / commesso / confezionato /*
> *dipinto / formato / guadagnato /*
> *preparato / tenuto / scattato*

1. Ha (fatto) _____ un dolce buonissimo.

2. Hanno (fatto) _____ una bella squadra.

3. Avete (fatto) _____ un sacco di soldi.

4. Ha (fatto) _____ una fotografia.

5. Ho (fatto) _____ un pacco da regalo.

6. Avete (fatto) _____ un bel fuoco.

7. Hanno (fatto) _____ la percentuale.

8. Abbiamo (fatto) _____ le pareti di colore giallo.

9. Hai (fatto) _____ un errore enorme.

10. Ho (fatto) _____ compagnia alla nonna.

7. Connotazione

7. CONNOTAZIONE

La connotazione è un aspetto della lingua che non riguarda il significato delle parole. 'Un quadro' e 'una crosta' sono definiti allo stesso modo dal vocabolario: "pittura su tavola o tela messa in telaio". La differenza fra queste due parole sta nel giudizio che sull'oggetto dà chi le usa. Nel caso di 'quadro' il giudizio è neutro, non colorato da emozioni, privo di apprezzamenti; con 'crosta' invece, il parlante, tramite la scelta di questo termine, comunica la sua disapprovazione per l'oggetto, la sua convinzione che esso sia privo di valore artistico e/o commerciale. 'Una crosta' è dunque "una pittura su tavola o tela" su cui qualcuno ha espresso una valutazione negativa.

Se diciamo di qualcuno che è 'coraggioso', nel nostro comune sentire gli abbiamo fatto un complimento giacché la nostra società pensa che è bene avere coraggio. Per la nostra cultura, tuttavia, di coraggio non è bene averne troppo giacché questo, spesso, confina con l'incoscienza o con l'immaturità o con l'incapacità di valutare correttamente il pericolo. Ecco allora, per esprimere un giudizio negativo, il termine 'temerario' che vuol dire sì 'coraggioso' ma con in più il tratto di significato 'troppo'. Va detto comunque che, poiché la connotazione si muove all'interno di margini di senso non chiaramente definiti, anche una stessa parola potrà acquistare valenze diverse in accordo coi valori personali di chi la usa o di chi la recepisce. A qualcuno 'un temerario' può anche piacere, così come 'una relazione sintetica' sarà positiva o negativa a seconda che ciascuno ami l'ampollosità o lo stile stringato.

Ci sono poi parole che sono assolutamente neutre ma diventano negative in alcune accezioni quando, nel loro significato, l'idea di 'troppo' risulta sottintesa: 'facili costumi', ad esempio, che vanno letti come 'troppo facili', 'donna allegra' o 'gestione allegra' ('troppo allegra' rispetto alla bisogna), 'uomo semplice' ('troppo semplice' per capire la complessità), etc..

Assai più spesso connotate negativamente, anche se in molti contesti neutre, sono parole legate ad antiche credenze, paure e pregiudizi: 'sinistro', 'mancino', etc. e soprattutto 'nero'. Naturalmente 'scarpe nere', 'caffè nero', 'penna nera' non hanno connotazione alcuna ma 'gatto nero' rimanda spesso a una diffusa superstizione e 'anima nera', 'pecora nera', 'umore nero' etc. sono espressioni decisamente negative. Anzi, 'nero' appare tanto produttivo che sono stati definiti 'neri' o 'nerissimi' molti momenti sgradevoli anche assai recenti: 'il venerdì nero' del traffico, 'il lunedì nero' della Borsa, e così via.

La connotazione può avvenire anche attraverso dei suffissi. Per connotare negativamente è piuttosto regolare l'uso di '-accio'/ '-accia': 'un romanzaccio' è un romanzo da poco, 'una giornataccia' è una gran brutta giornata, 'una vitaccia' è una vita che non piace. È raro, invece, e poco affidabile l'uso di altri suffissi negativi come '-ucolo' e '-astro'. Ancora meno sicuri nell'uso sono suffissi come '-etto' o '-ino' che, usati d'abitudine per fare i diminutivi, concorrono solo in pochi casi a dare connotazioni gradevoli e affettuose ('un pranzetto', 'un maritino', 'una zietta').

Le parole che contengono sfumature o connotazioni 'negative' non si possono accostare impunemente a quelle 'positive'. La locuzione negativa 'per colpa di' implica appunto che ne debba seguire qualcosa di negativo (-) mentre dopo 'grazie a' (+) ci si aspetta una cosa positiva: 'per colpa della siccità', per esempio, e 'grazie a una vincita al totocalcio'. Se 'condanno' qualcuno, non posso che condannarlo a cose spiacevoli (o da me presunte tali): 'all'ergastolo', 'a una multa', 'a dieci anni di galèra', ma non 'a un felice matrimonio'. Posso 'propinare' (-) a qualcuno 'un veleno' (-) ma non 'dello champagne' (+) così come posso 'perpetrare' (-) 'un delitto' (-) ma non 'un salvataggio' (+). È ovvio che è possibile violare questa norma e associare 'propinare' con 'lo champagne' o 'condannare' con 'al matrimonio', ma solo facendo scattare il meccanismo dell'ironia o del sarcasmo: dobbiamo presumere infatti, in questi casi, che lo champagne sia di pessima qualità e poco invidiabile per il parlante lo stato matrimoniale.

Antonimia

Sinonimia

Intensità

Collocazione

Polisemia

Inclusione

Connotazione

Metafora

Derivazione

Residui e prestiti

Connotazione

1 *In ciascuna delle seguenti coppie di frasi, indicate quale delle parole sottolineate – a parità di significato con l'altra – trasmette un giudizio negativo.*

1. Ha una casa piena di <u>quadri</u>.
   Ha una casa piena di <u>croste</u>.   _____

2. Mi è sembrato un atto <u>temerario</u>.
   Mi è sembrato un atto <u>coraggioso</u>.   _____

3. Maria <u>strimpella</u> il pianoforte.
   Maria <u>suona</u> il pianoforte.   _____

4. È un personaggio <u>ridicolo</u>.
   È un personaggio <u>divertente</u>.   _____

5. Per primo piatto ci hanno portato una <u>minestra</u>.
   Per primo piatto ci hanno portato una <u>brodaglia</u>.   _____

6. È senza un soldo perché ha <u>speso</u> tutto.
   È senza un soldo perché ha <u>sperperato</u> tutto.   _____

7. Ho ascoltato tutto il suo <u>discorso</u>.
   Ho ascoltato tutto il suo <u>sproloquio</u>.   _____

8. Abitano in un <u>appartamentino</u> al secondo piano.
   Abitano in un <u>buco</u> al secondo piano.   _____

9. È una ragazza <u>sfacciata</u>.
   È una ragazza <u>disinvolta</u>.   _____

10. So che tuo cugino è un <u>politicante</u>.
    So che tuo cugino è un <u>politico</u>.   _____

2 *Completate le frasi seguenti scegliendo fra le alternative proposte la parola coerente con il tono del discorso.*

1. Non capisce <u>niente di arte</u> e spende milioni su milioni per comprare
   _____ (*quadri / croste*).

2. Abbiamo proprio <u>bisogno</u> di persone così _____
   (*temerarie / coraggiose*).

3. <u>Per fortuna</u> il ragazzo del piano di sopra <u>ha smesso</u> di _____
   (*suonare / strimpellare*).

4. Chi <u>non si rende conto</u> dei propri limiti diventa spesso _____
   (*divertente / ridicolo*).

Antonimia

Sinonimia

Intensità

Collocazione

Polisemia

Inclusione

Connotazione

Metafora

Derivazione

Residui e prestiti

5. Ho mangiato tre piatti di quella squisita _____ (*minestra* / *brodaglia*).

6. Non mi pare giusto _____ (*spendere* / *sperperare*) così
    tutti quei soldi.

7. Lui parla a vuoto per ore e ore e io non sopporto i suoi _____
    (*discorsi* / *sproloqui*).

8. Vivono felici in un delizioso _____ (*buco* / *appartamentino*).

9. Mi piace tua figlia soprattutto perché è così _____
    (*sfacciata* / *disinvolta*).

10. Per questi problemi sono competenti non i tecnici ma i _____
    (*politicanti* / *politici*).

3 *Con le parole che seguono formate coppie in cui – a parità di significato – un elemento
trasmetta una connotazione neutra o positiva e l'altro invece una connotazione
negativa.*

> attore / poliziotto/ omosessuale / costruttore /
> meridionale / dentista / cavadenti / sbirro/ terrone /
> frocio / palazzinaro/ guitto

	neutro		negativo
1.	*attore*	/	*guitto*
2.	_____	/	_____
3.	_____	/	_____
4.	_____	/	_____
5.	_____	/	_____
6.	_____	/	_____

4 *Con le parole che seguono formate coppie in cui – a parità di significato – un elemento
trasmetta una connotazione neutra o positiva e l'altro invece una connotazione
negativa.*

	neutro		negativo
1.	_____	/	_____
2.	_____	/	_____
3.	_____	/	_____
4.	_____	/	_____
5.	_____	/	_____
6.	_____	/	_____

> folla / casa /
> morire / macchina /
> disegno / pittore /
> catorcio / crepare /
> imbrattatele /
> carnaio / sgorbio /
> tugurio

5 Terminate le frasi che seguono usando parole che aggiungano una connotazione negativa a quelle sottolineate.

1. Mi piacciono le persone generose ma lui esagera: è proprio uno _____.

2. Va bene essere economi, ma lui è _____.

3. Non lo ho criticato perché è studioso, ma perché è uno _____.

4. Il suo comportamento non mi sembra impulsivo, ma _____.

5. Ho profondo rispetto per chi è religioso, ma tuo fratello è _____.

6. Usa pure un tono dolce, ma stai attento a non risultare _____.

7. Non ho niente contro i discorsi lunghi, ma il suo è stato veramente _____.

8. Capisco che uno voglia essere sempre a posto, ma lui, più che curato, è _____.

9. Tutti dicono che è bravo e preciso, ma per me è soltanto un _____.

10. Ti ho chiesto di essere rigoroso, non _____.

Le parole da inserire, se non le avete già trovate, possono essere scelte fra le seguenti:

pignolo / sgobbone / spendaccione / zuccheroso / azzimato / tirchio / rigido / prolisso / avventato / bigotto

6 Le frasi che seguono hanno connotazione negativa. Riportatele a un tono neutro sostituendo le parole sottolineate con altre da scegliere fra le seguenti.

giornale / bambino / casa / scrittore / single / segretario / attore/ sbaglio / medico / uomo

1. Nel suo discorso c'era uno strafalcione. _____

2. Quell'individuo è ritornato anche ieri. _____

3. Ho visto la foto su un giornalaccio che aveva mio zio. _____

4. La diagnosi gliel'ha fatta un <u>ciarlatano</u>
   da cui si è fatto visitare.   _____

5. Va a tutti i premi letterari perché
   è fidanzata con uno <u>scribacchino</u>.   _____

6. Amleto è interpretato da un <u>attorucolo</u>
   sconosciuto.   _____

7. Ha telefonato il <u>portaborse</u> dell'onorevole.   _____

8. Non la vedo più perché è sempre
   indaffarata con il suo <u>marmocchio</u>.   _____

9. Abita in una <u>stamberga</u> in periferia.   _____

10. La mia vicina di casa è una <u>zitella</u>.   _____

7 Le frasi che seguono hanno tono neutro. Senza cambiarne il significato date loro connotazione negativa sostituendo le parole sottolineate con altre da scegliere fra le seguenti.

> bettola / pezzo di carta / carretta/ giovinastro /
> pedante / piedipiatti / filmaccio /
> anticaglie / vu' cumprà / accattone

1. Mio figlio studia per prendere un <u>diploma</u>.   _____

2. Mi ha portato a vedere un <u>film</u>.   _____

3. In quel momento passava un <u>poliziotto</u>.   _____

4. Il rag. Bettini è molto <u>scrupoloso</u>.   _____

5. Ho dato qualche soldo a un <u>mendicante</u>.   _____

6. È arrivato fino a Bari con la sua <u>automobile</u>.   _____

7. Ho comprato questi accendini in spiaggia da un <u>ambulante</u>. _____

8. È venuto a cercarti un <u>giovanotto</u>.   _____

9. Siamo andati a cena in una <u>trattoria</u> vicino
   alla stazione Termini.   _____

10. La signora Facchetti ha una casa piena di <u>oggetti antichi</u>. _____

Indicate negli appositi spazi se le espressioni qui sottolineate – al di là del loro preciso significato – trasmettono una connotazione POSITIVA **(+)** oppure NEGATIVA **(–)**.

1. un tempo <u>da lupi</u> _____   2. un uomo <u>alla mano</u> _____

3. una donna <u>in gamba</u> _____   4. una salute <u>di ferro</u> _____

5. una vita <u>da cani</u> _____   6. parole <u>a vanvera</u> _____

7. un posto <u>al sole</u> _____   8. un pranzo <u>coi fiocchi</u> _____

9 . una persona <u>a posto</u> _____   10. un ragazzo <u>a modo</u> _____

11. un vestito <u>di favola</u> _____   12. nervi <u>d'acciaio</u> _____

13. un cuore <u>di pietra</u> _____   14. una ragazza <u>d'oro</u> _____

15. una vista <u>d'aquila</u> _____   16. una donna <u>di strada</u> _____

17. un linguaggio <u>da caserma</u> _____   18. un attore <u>da strapazzo</u> _____

19. uno scherzo <u>da prete</u> _____   20. un pittore <u>della domenica</u> _____

21. un lavoro <u>fatto coi piedi</u> _____   22. un lavoro <u>fatto a puntino</u> _____

Nei mini-dialoghi che seguono indicate se le valutazioni sottolineate esprimono un giudizio positivo **(P)** oppure negativo **(N)**.

1. A. Dimmi che cosa pensi di quel chirurgo.
    B. Ti assicuro che è <u>un macellaio</u>.   _____
2. A. Come ti è sembrata la festa?
    B. <u>Non male</u>.   _____
3. A. Com'è quel trattato sull'insonnia?
    B. <u>Un libraccio</u>.   _____
4. A. Ti sono piaciuti i suoi mobili?
    B. <u>Roba da quattro soldi</u>.   _____
5. A. Sei d'accordo con la sua decisione?
    B. Secondo me è stato <u>un colpo di testa</u>.   _____
6. A. Hai seguito il suo racconto?
    B. Mi è sembrato <u>senza capo né coda</u>.   _____
7. A. È buono quell'albergo?
    B. <u>Di prim'ordine</u>.   _____
8. A. Vorrei la tua opinione su *Roma città aperta*.
    B. Un film <u>da non perdere</u>.   _____
9. A. Che tipo è tuo cugino?
    B. È <u>un pezzo di pane</u>.   _____
10. A. Com'è stato il tempo in vacanza?
    B. <u>Un disastro</u>.   _____

Antonimia

Sinonimia

Intensità

Collocazione

Polisemia

Inclusione

Connotazione

Metafora

Derivazione

Residui e prestiti

11. A. Come stava Ettore?
    B. L'ho trovato <u>in forma</u>.

12. A. Erano buoni gli spaghetti? _____
    B. <u>Una colla.</u>

13. A. Com'è quella ragazza? _____
    B. <u>Una delizia.</u>

14. A. Com'è stata la trasmissione? _____
    B. <u>Una barba.</u>
    _____

10 *Basandovi sulle parole sottolineate che sono decisamente positive* **(P)** *o negative* **(N),* *indicate con quali varianti (***a***,* ***b***,* ***c****) hanno la possibilità di terminare le frasi seguenti senza risultare ironiche.*

1. Vi dovete <u>pentire</u> (N)   a. delle vostre colpe
                                   b. dei vostri meriti
                                   c. dei vostri peccati   *a*   *c*

2. Lo hanno <u>accusato</u> (N)   a. di furto
                                   b. di omicidio
                                   c. di correttezza   _____   _____

3. Ho fatto questo <u>grazie</u> (P)   a. al tuo aiuto
                                   b. ai tuoi soldi
                                   c. alle tue offese   _____   _____

4. Luigi era <u>in preda</u> (N)   a. ad allegria
                                   b. a un attacco di tosse
                                   c. al panico   _____   _____

5. L'uomo che vedi ha <u>commesso</u> (N)   a. un delitto
                                   b. un omicidio
                                   c. un'opera buona   _____   _____

6. Gli ho <u>offerto</u> (P)   a. un aiuto
                                   b. un finanziamento
                                   c. una punizione   _____   _____

7. Ha cominciato a <u>implorare</u> (P)   a. perdono
                                   b. vendetta
                                   c. pietà   _____   _____

8. Ha cominciato a <u>scagliare</u> (N)   a. sassi
                                   b. benedizioni
                                   c. maledizioni   _____   _____

9. Sono una <u>manica</u> (N)   a. di bravi ragazzi
                                   b. di pazzi
                                   c. di mascalzoni   _____   _____

10. <u>Fatalità</u> (N) ha voluto che

    a. si salvasse
    b. morisse
    c. avesse un incidente   ____ ____

11. <u>Decanta</u> (P) sempre

    a. i suoi difetti
    b. i suoi pregi
    c. la sua generosità   ____ ____

12. Vi prego di <u>scusare</u> (N)

    a. il disturbo
    b. il regalo
    c. il ritardo   ____ ____

11 *Basandovi sulle parole sottolineate che sono decisamente positive o negative, indicate con quali varianti (a, b, c) hanno la possibilità di terminare le frasi seguenti senza risultare ironiche.*

1. 1. Lo hanno convinto con <u>promesse</u>

    a. di soldi
    b. di eterna amicizia
    c. di morte   ____ ____

   2. Lo hanno convinto con <u>minacce</u>

    a. di terribili castighi
    b. di aiuti finanziari
    c. di ritorsioni   ____ ____

2. 1. Si sentiva <u>puzza</u>

    a. di bruciato
    b. di bucato
    c. di fogna   ____ ____

   2. Si sentiva un <u>profumo</u>

    a. di viole
    b. di pulito
    c. di uova marce   ____ ____

3. 1. Il suo comportamento <u>incuteva</u>

    a. coraggio
    b. paura
    c. soggezione   ____ ____

   2. Il suo comportamento <u>infondeva</u>

    a. speranza
    b. dolore
    c. gioia   ____ ____

4. 1. È accaduto per <u>merito</u>

    a. della sua bontà
    b. della sua intelligenza
    c. dei suoi errori   ____ ____

   2. È accaduto per <u>colpa</u>

    a. del bel tempo
    b. del temporale
    c. del traffico   ____ ____

5. 1. Il preside <u>ha concesso</u> agli studenti a. un giorno di vacanza
                                                    b. una sospensione
                                                    c. un'assemblea straordinaria _____ _____

    2. Il preside <u>ha inflitto</u> agli studenti a. un rimprovero
                                                      b. una punizione
                                                    c. una gita scolastica _____ _____

6. 1. Lo hanno <u>incoraggiato</u> a   a. continuare gli studi
                                                      b. trovare un lavoro
                                                      c. rubare _____ _____

    2. Lo hanno <u>istigato</u> a   a. sposare la donna amata
                                                      b. uccidere
                                                    c. mentire _____ _____

12 *Le stesse parole possono avere connotazione neutra o negativa a seconda di come vengono usate. Per ciascuna delle frasi seguenti indicate se le parole sottolineate trasmettono oppure no una connotazione negativa.*

		SI	NO
1.	Aveva i capelli <u>scuri</u>.	_____	_____
2.	Era <u>scuro</u> in volto.	_____	_____
3.	Vedeva molte <u>nubi</u> nel suo futuro.	_____	_____
4.	Osservava le <u>nubi</u> in cielo.	_____	_____
5.	È un esercizio <u>semplice</u>.	_____	_____
6.	Il nostro amico Stefano è un animo <u>semplice</u>.	_____	_____
7.	La Posta si trova al lato <u>sinistro</u> della strada.	_____	_____
8.	È l'ala <u>sinistra</u> della sua squadra.	_____	_____
9.	È iscritto a un partito di <u>sinistra</u>.	_____	_____
10.	È di malumore: forse si è alzato col piede <u>sinistro</u>.	_____	_____
11.	Mi ha lanciato uno sguardo <u>sinistro</u>.	_____	_____
12.	Mi ha giocato un tiro <u>mancino</u>.	_____	_____
13.	Mio fratello non è proprio <u>mancino</u>, ma preferisce usare la mano sinistra.	_____	_____
14.	Ho comprato un quaderno con la copertina <u>nera</u>.	_____	_____
15.	Ho bisogno di una borsa <u>nera</u>.	_____	_____
16.	Il <u>nero</u> è sempre elegante.	_____	_____
17.	Sono di umore <u>nero</u>.	_____	_____
18.	È un mese <u>nerissimo</u> per l'economia.	_____	_____
19.	Bambini, se non state buoni chiamo l'uomo <u>nero</u>.	_____	_____
20.	L'italiano è una lingua <u>facile</u>.	_____	_____
21.	È una donna di <u>facili</u> costumi.	_____	_____
22.	Le tue mi sembrano critiche <u>facili</u>.	_____	_____
23.	In Italia abbiamo un servizio postale <u>medievale</u>.	_____	_____
24.	In Italia abbiamo molte chiese <u>medievali</u>.	_____	_____
25.	Hai idee veramente <u>medievali</u>.	_____	_____
26.	È una donna elegante e <u>sofisticata</u>.	_____	_____
27.	Occorre fare attenzione ai cibi <u>sofisticati</u>.	_____	_____
28.	Occorre fare attenzione coi macchinari <u>sofisticati</u>.	_____	_____

8. Metafora

8. METAFORA

Le parole possono essere usate nel loro significato letterale o anche in un significato figurato o metaforico. Che cosa vuol dire metafora? Trasferire a qualcosa il nome che è proprio di qualcos'altro secondo un rapporto di analogia, cioè parlare di una cosa in termini di un'altra che per qualche aspetto la ricorda, le somiglia. Dire che il leone è il 're della foresta' implica attribuire al mondo degli animali una scala gerarchica tipica degli esseri umani (il re è chi detiene il massimo potere in uno stato retto a monarchia). Del resto, ora che di 're' veri (letterali) in giro ce ne sono sempre meno, la parola sta acquistando grandi spazi in significati traslati: il 're della birra', il 're della droga', il 're del rock', per indicare il più potente o importante in ciascun campo.

Se dico che 'l'inflazione è una malattia difficile da curare', parlo di una questione economica in termini medici. Se dico che una storia d'amore va 'a gonfie vele', trasferisco all'ambito dei sentimenti un'espressione tratta dal linguaggio marinaro (quando le vele sono 'gonfie' perché c'è vento, la navigazione va bene).

Che cosa succede alle parole durante questi trasferimenti dal campo semantico che è loro proprio a un campo diverso e spesso assai distante? Succede che perdono una parte del loro significato. Una 'balena' è un animale che vive negli oceani, si nutre di plancton, produce l'ambra grigia e ha dimensioni particolarmente grandi; ma dicendo che una donna è una 'balena', tralascio tutta la parte di significato relativa al mare, al plancton, all'ambra e anche all'animale e mantengo nella metafora solo le amplissime dimensioni ('una donna di straordinaria grassezza').

Particolarmente frequenti in italiano sono, appunto, le metafore con i nomi di animali le cui qualità "fisiche" o "psicologiche", vere o presunte, vengono abbondantemente trasferite agli esseri umani: così un 'ghiro' è qualcuno che dorme molto e 'un merlo' è chi per ingenuità si lascia facilmente imbrogliare.

Tra gli altri campi lessicali privilegiati per trasferimenti metaforici, uno è quello delle parti del corpo: 'naso', 'bocca', 'mani' e 'piedi', per non parlare di 'occhio', o di 'cuore', etc. sono alla base di metafore numerose e varie ('il braccio destro del Presidente', 'la bocca del vulcano', 'il cuore della città', 'l'occhio del ciclone').

In omaggio a un nostro passato contadino, metafore legate alla vita dei campi ('mettere il carro davanti ai buoi' per 'anticipare i tempi', 'darsi la zappa sui piedi' per 'danneggiarsi da sé', etc.) permangono anche dopo che la cultura da cui sono nate è certo diventata minoritaria. Anche dal campo marinaro di metafore se ne pescano parecchie: 'tirare i remi in barca' per 'ritirarsi', 'avere il vento in poppa' per 'trovarsi in situazione favorevole', etc..

Negli ultimi tempi si sono prodotte metafore anche dalla cultura dell'automobile: 'essere su di giri', tipico dei motori, è riferito oggi anche all'umore delle persone, 'fare marcia indietro' sta per 'tirarsi indietro', 'avere una marcia in più', caratteristica delle macchine veloci, viene trasferito a persone o cose che si vogliono definire 'di qualità superiore'.

In realtà tutto, o almeno quasi tutto, è metafora. La metafora pervade tutta la nostra lingua anche se a livelli diversi di cristallizzazione. Sono infinite le metafore morte, che non si riconoscono più come tali ('le <u>gambe</u> del tavolo', 'il <u>collo</u> della bottiglia') o 'moribonde' ('un <u>sacco</u> di guai', 'una <u>montagna</u> di soldi'), in via di istituzionalizzazione.

È da sfatare l'opinione abbastanza diffusa che la metafora sia propria dello stile elevato, della letteratura e della poesia: essa appartiene invece a tutti i livelli culturali e a tutti i registri linguistici. Anzi, oggi, in Italia, appaiono particolarmente infarciti di metafore proprio il linguaggio sportivo e quello finanziario: 'andare in porta', 'la lira si impenna', 'l'economia va a picco', etc..

Continuamente di metafore se ne formano o comunque se ne possono formare di nuove, deviazioni dal discorso letterale che a volte incontrano qualche resistenza prima di affermarsi e di cominciarsi a cristallizzare. Tanto maggiore è la resistenza se la metafora la vogliamo trasferire di peso in un'altra lingua. Non sempre infatti, anzi piuttosto raramente, le metafore si corrispondono in lingue diverse, per quanto "ovvie" e "logiche" possano sembrare a chi le usa nella sua lingua madre.

Antonimia

Sinonimia

Intensità

Collocazione

Polisemia

Inclusione

Connotazione

Metafora

Derivazione

Residui e prestiti

Antonimia

Sinonimia

Intensità

Collocazione

Polisemia

Inclusione

Connotazione

Metafora

Derivazione

Residui e prestiti

1 Scegliete nella colonna **B** le parole adatte per terminare correttamente le espressioni metaforiche della colonna **A**.

	A	**B**	
1.	Qualche volta gioco a carte <u>per ammazzare</u>	la spugna	A
2.	La festa era noiosa, così ho <u>tagliato</u>	il rospo	B
3.	Ho dovuto cedere e <u>ingoiare</u>	il gomito	C
4.	Hanno avuto grandi indecisioni prima di <u>saltare</u>	la corda	D
5.	Ero pieno di rimorsi e così ho <u>vuotato</u>	il tempo	E
6.	Prima non capivo ma poi ho <u>mangiato</u>	il fosso	F
7.	Dopo molti tentativi ho dovuto <u>gettare</u>	il sacco	G
8.	Gli piace il vino e ogni tanto <u>alza</u>	la foglia	H

2 Collegate le espressioni metaforiche sottolineate nella colonna **A** con il loro corrispondente significato letterale nella colonna **B**.

	A	**B**		Risposte	
1.	Ti devo <u>tirare le orecchie</u>.	perdonar	A	*1*	*D*
2.	Ha dovuto <u>chinare la testa</u>.	faticare	B		
3.	Finalmente mi hanno fatto <u>aprire gli occhi</u>.	parlare	C		
4.	Gli ho detto di <u>aprire</u> bene <u>le orecchie</u>.	sgridare	D		
5.	Spero di potervi <u>dare una mano</u>.	cedere	E		
6.	Gli ho chiesto di <u>chiudere un occhio</u>.	capire	F		
7.	Non è riuscito a <u>aprire bocca</u> per tutta la sera.	ascoltare	G		
8.	Per farcela ho dovuto <u>sputare sangue</u>.	aiutare	H		

3 Con il nome di molti animali si designano e riassumono qualità belle o brutte degli esseri umani. Fra le alternative proposte scegliete quella che corrisponde al nome di animale sottolineato.

1. Quella donna è <u>un'oca</u>.   _____
    (a. stupida / b. brutta / c. simpatica / d. allegra)

2. Sei <u>un coniglio</u>.   _____
    (a. carino / b. veloce / c. vigliacco / d. coraggioso)

3. Quello studente è un asino. _____
   (*a. attento / b. testardo / c. ignorante / d. intelligente*)

4. La tua amica è una vipera. _____
   (*a. bella / b. elegante / c. cattiva / d. noiosa*)

5. Tuo cugino è un mulo. _____
   (*a. capriccioso / b. testardo / c. allegro / d. gentile*)

6. Quel medico è un cane. _____
   (*a. sgarbato / b. incompetente / c. buono / d. gentile*)

7. Il tuo avvocato è una volpe. _____
   (*a. affettuoso / b. furbo / c. agile / d. peloso*)

8. Sei proprio uno scoiattolo. _____
   (*a. agile / b. simpatico / c. coraggioso / d. socievole*)

9. Il mio vicino di casa è un orso. _____
   (*a. grasso / b. noioso / c. poco socievole / d. brutto*)

10. Secondo me Giulio è un rospo. _____
    (*a. grosso / b. peloso / c. brutto / d. buono*)

4 *Nei mini-dialoghi che seguono combinate correttamente la battuta di* **A***, che trovate nella colonna* **1***, con le repliche corrispondenti di* **B** *della colonna* **2***.*

	1	2	
1.	**A.** Massimo ripete parola per parola quello che sente dire dagli altri.	**B.** Sì, è una lumaca!	A
2.	**A.** Claudia si fa corteggiare da tutti gli uomini che ha intorno.	**B.** Sì, è una colomba!	B
3.	**A.** Quell'uomo è di una crudeltà inaudita.	**B.** Sì, è un avvoltoio!	C
4.	**A.** La tua collega è una pacifista convinta?	**B.** Sì, è un verme!	D
5.	**A.** Il generale Michetti è favorevole alle soluzioni militari?	**B.** Sì, è una civetta!	E
6.	**A.** L'avvocato Bini non vede l'ora che uno abbia una disgrazia per guadagnarci su.	**B.** Sì, è un pappagallo!	F
7.	**A.** Fa tutte le cose così lentamente!	**B.** Sì, è un falco!	G
8.	**A.** Antonio lecca i piedi ai potenti e a chi gli può essere utile.	**B.** Sì, è una iena!	H

Metafora

5 *Dite quando le parole sottolineate nelle frasi seguenti hanno valore letterale* **(L)** *e quando metaforico* **(M)**.

1. Ho attraversato il <u>deserto</u> del Sahara. _____
   A Roma d'agosto c'è il <u>deserto</u>. _____

2. La famiglia è un'<u>oasi</u> di pace. _____
   Abbiamo visitato l'<u>oasi</u> di Bolgheri. _____

3. Non pestate la <u>coda</u> al gatto. _____
   La vicenda ebbe una <u>coda</u> giudiziaria. _____

4. Non mi fido: hanno <u>gonfiato</u> le cifre. _____
   Abbiamo <u>gonfiato</u> il canotto. _____

5. Mi hanno fatto pagare una multa <u>salata</u>. _____
   L'acqua del mare è <u>salata</u>. _____

6. Abbiamo atteso il <u>tramonto</u> del sole. _____
   È triste il <u>tramonto</u> di tutte le mie speranze. _____

7. Quella casa è il <u>frutto</u> del suo lavoro. _____
   La mela è il <u>frutto</u> che preferisco. _____

8. Ha trovato un <u>tesoro</u> romano zappando il giardino. _____
   Il tuo bambino è un <u>tesoro</u>. _____

9. Ho comprato un <u>ventaglio</u> per la mamma. _____
   Gli ho fatto un <u>ventaglio</u> di proposte. _____

10. L'albergo gode di un bel <u>panorama</u>. _____
    Il <u>panorama</u> politico odierno è sconfortante. _____

11. Ha <u>divorato</u> il libro in poche ore. _____
    Ha <u>divorato</u> due piatti di spaghetti. _____

12. Non è facile <u>digerire</u> i peperoni. _____
    Non riesco a <u>digerire</u> quella offesa. _____

6 *Tra le alternative proposte fra parentesi indicate quella che corrisponde sul piano letterale alle metafore sottolineate.*

1. Il tuo amico ha una memoria <u>da elefante</u>. _____
   (ottima / pessima / mediocre)

2. Giovanni <u>ha la testa dura</u>. _____
   (è poco intelligente / è testardo / è gentile)

3. Luigi era <u>a pezzi</u>. _____
   (contento / disperato / arrabbiato)

4. È un uomo <u>senza cuore</u>.   _____
   (cattivo / ammalato / ignorante)

5. È una persona <u>senza cervello</u>.   _____
   (cattiva / stupida / ignorante)

6. Mio cognato <u>ha un cuor d'oro</u>.   _____
   (è ricco / è bello / è buono)

7. Le tue sono parole <u>al vento</u>.   _____
   (importanti / sprecate / gradevoli)

8. Ha sempre agito <u>alla luce del sole</u>.   _____
   (di nascosto / di giorno / apertamente)

9. Ho <u>un buco nello stomaco</u>.   _____
   (sete / sonno / fame)

10. In quel momento <u>avevo un nodo alla gola</u>.   _____
    (ero contento / ero ammalato / ero commosso)

11. Purtroppo <u>ho le tasche vuote</u>.   _____
    (non ho idee / non ho amici / non ho soldi)

12. Suo zio <u>ha le mani bucate</u>.   _____
    (è malato / è ferito / spende troppo)

7   *Nei seguenti mini-dialoghi stabilite le qualità a cui si riferiscono le espressioni metaforiche sottolineate e completate poi le battute di **B**.*

Esempio: A. Quel ragazzo è <u>un chiodo</u>.
            B. Sì, è veramente   **magro** .

1. **A**.   La tua segretaria è <u>una perla</u>.
   B.   Sì, è veramente _____ .

2. **A**.   Quella indossatrice è <u>un giunco</u>.
   B.   Sì, è decisamente _____ .

3. **A**.   Tuo nonno è proprio <u>una quercia</u>.
   B.   Sì, pur essendo vecchio, è ancora _____ .

4. **A**.   Il cappotto che hai comprato è <u>una piuma</u>.
   B.   Sì, pur essendo caldo, è _____ .

5. **A**.   Quel film è <u>un mattone</u>.
   B.   Sì, è veramente _____ .

6. **A**.   Questa storia è <u>un rebus</u>.
   B.   Sì, più ci penso, più la trovo _____ .

Antonimia

Sinonimia

Intensità

Collocazione

Polisemia

Inclusione

Connotazione

Metafora

Derivazione

Residui e prestiti

7. **A.** Lo studente che ho interrogato ora è <u>una cima</u>.
   B. Sì, è davvero _____ .

8. **A.** La tua macchina è <u>un bolide</u>.
   B. Sì, è davvero _____ .

9. **A.** Il suo ufficio è <u>un letamaio</u>.
   B. Sì, è davvero _____ .

10. **A.** Tuo cugino è proprio <u>un broccolo</u>.
    B. Sì, è veramente _____ .

Se avete avuto difficoltà, potete ora cercare le risposte in mezzo agli aggettivi qui dati in forma maschile singolare:

sporco / grasso / bello / buono / veloce / intelligente / bravo / tonto / pesante / leggero / forte / sottile / incomprensibile / efficiente / pulito / noioso / vecchio / divertente

8 Collegate le domande di **A** con le corrette risposte in **B** che utilizzano tutte espressioni metaforiche.

A	**B**	
1. È facile trattare affari con lui?	No, è una patata bollente.	A
2. Pensi che Pino si stia divertendo con gli altri bambini?	No, è un pugno nell'occhio.	B
3. Ti fidi dei giudizi che Anna dà sugli altri?	No, è un osso duro.	C
4. È bello il grattacielo che hanno costruito?	No, è una mala lingua.	D
5. È un delinquente pericoloso?	No, è un pesce fuor d'acqua.	E
6. È una persona veramente di valore?	No, è una trappola.	F
7. Mi consigli di andare all'appuntamento?	No, è un pallone gonfiato.	G
8. È una questione che puoi risolvere senza problemi?	No, è un ladro di polli.	H

Risposte:

1C / ____ / ____ / ____ / ____ / ____ / ____ / ____ /

9 In ciascuna delle coppie di frasi è stata omessa la stessa parola o espressione usata una volta in senso letterale e una volta in senso metaforico. Inseritela negli appositi spazi dopo averla rintracciata nell'elenco seguente.

> una tegola / un toro / un pezzo di legno /
> uno specchio / una pecora / un fiore / un libro aperto /
> un'isola / un fiume / una mela marcia

1. La rosa è _____.
   Maria è _____.

2. Nella fruttiera c'è _____.
   In quel gruppo di ragazzi c'è _____.

3. Sulla sua scrivania c'era _____.
   È un uomo schietto e limpido, proprio _____.

4. Per ravvivare il fuoco ho aggiunto _____.
   Sta sempre zitto e impalato, è proprio _____.

5. Dal tetto appena rifatto è caduta _____.
   L'arrivo dell'ufficiale giudiziario è stato _____.

6. Dietro la porta del bagno c'è _____.
   La signora Ceci tiene la casa pulitissima: _____.

7. La Sicilia è _____.
   Piazza Navona, a Roma, è _____ pedonale.

8. Il Po è _____ italiano.
   Ha risposto alla domanda con _____ di parole.

9. Sul prato c'erano due mucche e _____.
   Avrei paura a fare a botte con lui: quell'uomo è _____.

10. Non mi piace la carne di _____.
    Chi _____ si fa il lupo lo mangia.

10 *Osservate la frasi della colonna di sinistra in cui le parole sottolineate sono usate in senso metaforico. Osservate poi il loro significato letterale dato nella colonna di destra e cancellate i tratti di significato che non appartengono alla metafora.*

1.	La sua ostinazione <u>è uno scoglio</u> per la buona riuscita del progetto.	<u>scoglio</u>: una parte di roccia che emerge dal mare e crea difficoltà alla navigazione.

2.	Non credevo che fosse ricco ma la sua casa è <u>una reggia</u>.	<u>reggia</u>: l'abitazione del re, particolarmente ampia e lussuosa.

3.	A Olivia puoi raccontare tranquillamente qualsiasi segreto perché è <u>una tomba</u>.	<u>tomba</u>: il luogo dove si seppellisce un morto che, ovviamente, non parla.

4.	Se non si trova una soluzione arriveremo alla <u>paralisi</u> del traffico.	<u>paralisi</u>: una grave malattia che costringe alla immobilità totale.

5.	Dopo la tua partenza quella casa è diventata <u>un inferno</u>.	<u>inferno</u>: un luogo di grandi sofferenze a cui sono condannate le anime dei peccatori.

6.	Se mi aiuti in questa circostanza sei <u>un angelo</u>.	<u>angelo</u>: una creatura celeste di straordinaria bellezza e bontà.

7.	Non affidare mai lavori urgenti a Ceroni: lo sai che è <u>una tartaruga</u>!	<u>tartaruga</u>: animale marino o terrestre, longevo e molto lento nei movimenti.

8.	I nostri amici si trovano in <u>un mare</u> di guai.	<u>mare</u>: un'enorme quantità di acqua salata di cui non si vedono i confini.

Antonimia
Sinonimia
Intensità
Collocazione
Polisemia
Inclusione
Connotazione
Metafora
Derivazione
Residui e prestiti

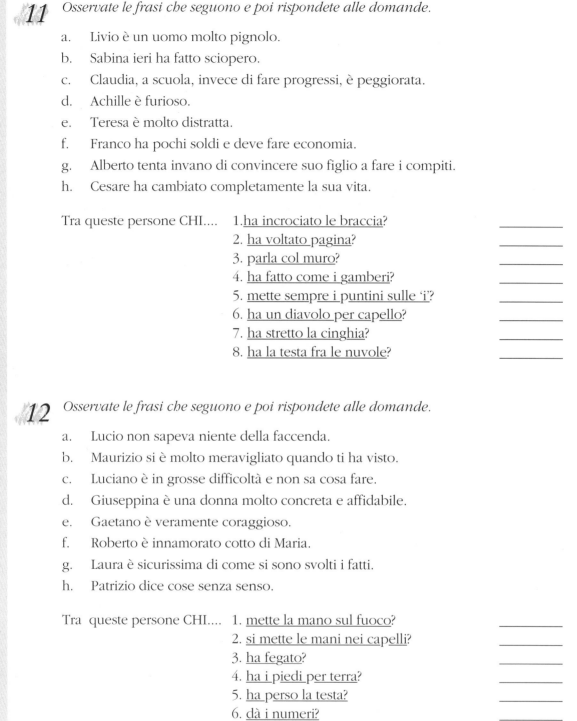

11 *Osservate le frasi che seguono e poi rispondete alle domande.*

a. Livio è un uomo molto pignolo.

b. Sabina ieri ha fatto sciopero.

c. Claudia, a scuola, invece di fare progressi, è peggiorata.

d. Achille è furioso.

e. Teresa è molto distratta.

f. Franco ha pochi soldi e deve fare economia.

g. Alberto tenta invano di convincere suo figlio a fare i compiti.

h. Cesare ha cambiato completamente la sua vita.

Tra queste persone CHI....   1. ha incrociato le braccia?   _____

                                  2. ha voltato pagina?   _____

                                  3. parla col muro?   _____

                                  4. ha fatto come i gamberi?   _____

                                  5. mette sempre i puntini sulle 'i'?   _____

                                  6. ha un diavolo per capello?   _____

                                  7. ha stretto la cinghia?   _____

                                  8. ha la testa fra le nuvole?   _____

12 *Osservate le frasi che seguono e poi rispondete alle domande.*

a. Lucio non sapeva niente della faccenda.

b. Maurizio si è molto meravigliato quando ti ha visto.

c. Luciano è in grosse difficoltà e non sa cosa fare.

d. Giuseppina è una donna molto concreta e affidabile.

e. Gaetano è veramente coraggioso.

f. Roberto è innamorato cotto di Maria.

g. Laura è sicurissima di come si sono svolti i fatti.

h. Patrizio dice cose senza senso.

Tra queste persone CHI....   1. mette la mano sul fuoco?   _____

                                  2. si mette le mani nei capelli?   _____

                                  3. ha fegato?   _____

                                  4. ha i piedi per terra?   _____

                                  5. ha perso la testa?   _____

                                  6. dà i numeri?   _____

                                  7. è caduto dalle nuvole?   _____

                                  8. è rimasto a bocca aperta?   _____

Metafora

9. Derivazione

9. DERIVAZIONE

Molte parole, sono collegate le une alle altre in una sorta di catena semantica: a 'cambio' sono legate 'cambiare', e 'cambiamento'; sappiamo che 'opera', 'operaio', 'operare', 'operistico', 'operazione', 'operoso' e 'operosamente', benché assai diverse per significato, in qualche modo stanno insieme; sono in relazione anche 'lavare', 'lavaggio', 'lavabile', 'lavanderia' e 'lavatrice'; 'canto', 'cantare', 'cantante', 'canzone', etc..

Il meccanismo attraverso il quale da una parola se ne possono formare altre si chiama derivazione: con l'aggiunta di un suffisso alla parola-base (un nome, un verbo o un aggettivo) possiamo derivare un altro nome, un altro verbo, un altro aggettivo o avverbio. Alla parola-base si possono anche premettere dei prefissi: da 'operoso' si avrà 'inoperoso', da 'scrivere' potremo avere 'riscrivere' o 'descrivere', da 'continuo' 'discontinuo', da 'mettere' 'premettere', da 'dividere' 'condividere', da 'settimanale' 'bisettimanale' o 'infrasettimanale', etc..

La combinazione di suffissi e prefissi con le basi è un fenomeno solo in parte regolare: il terreno della derivazione è irto di tranelli.

Una prima difficoltà risiede nel fatto che una stessa parola di partenza assai spesso può dare origine a più parole derivate che conservano solo una parte di significato comune. Prendiamo il verbo 'interrogare' e i nomi che ne derivano: un''interrogazione' è un 'insieme di domande' che a scuola l'insegnante pone agli allievi, mentre un 'interrogatorio' è sì un insieme di domande, ma poste di solito dal giudice all'imputato; un 'interrogativo', infine, è la domanda che si pone chiunque quando è preda di dubbi. 'Scrittore', 'scrivente' e 'scrivano' sono tre persone che in modo diverso hanno a che fare con 'scrivere': uno 'scrittore' è chi scrive in modo creativo, nel linguaggio burocratico la persona che scrive diventa lo 'scrivente', e lo 'scrivano', è colui che scrive su commissione di altri che non sono in grado di farlo; 'scrittura' è l'azione o il risultato dello scrivere, mentre 'scrittoio' e 'scrivania' indicano entrambi il mobile su cui ci si appoggia per scrivere.

Un'altra difficoltà è che non tutte le combinazioni sono possibili e accettate nell'uso. Osserviamo -ato, -ito e -uto, suffissi che generalmente formano il participio passato dei verbi ('lavato', 'condito', 'venuto', etc.). Questi suffissi, come tanti altri (ad esempio -oso), possono combinarsi anche con nomi. Quando ciò sia possibile, tuttavia, non è prevedibile. Ad esempio, una ragazza che ha 'fortuna' è 'fortunata', ma se ha 'coraggio' è 'coraggiosa'; è 'colorita' quando la sua faccia ha un bel 'colore' roseo mentre, se ha la pelle liscia come il 'velluto', avrà una pelle 'vellutata'; se ha i 'ricci' sarà 'ricciuta' e 'forzuta' se dotata di 'forza'; ma quando ha 'fame' si dirà 'affamata' e 'infreddolita' se sentirà 'freddo', o 'raffreddata' se ha preso un 'raffreddore', parole, queste due ultime, che derivano anch'esse da 'freddo'. Se ha 'successo', 'ha successo' e basta. Se 'non' ha 'fortuna' è 'sfortunata', ma se 'non' ha 'coraggio' non è 'scoraggiata' (che significa che 'non ha speranza di riuscire in qualche cosa') ma 'pavida', che, dal punto di vista della forma, con 'coraggio' non sembra avere molto a che fare.

Se poi da un verbo vogliamo derivare il nome che ne esprime l'azione, abbiamo a disposizione un ventaglio di suffissi quali -zione, (da manifestare, avremo 'manifestazione di protesta'), -mento (da superare, 'superamento delle difficoltà'), -aggio (da doppiare, 'doppiaggio di un film'), -ura (da aprire, 'orario di apertura'), etc.. Nella maggior parte dei casi i verbi ammettono solo un suffisso; tuttavia, alcuni permettono la combinazione con più di un suffisso. Da 'inserire' possiamo avere sia 'inserimento' che 'inserzione': ad esempio, dovremo usare la prima, 'inserimento', nel caso di 'inserimento degli handicappati' e la seconda, 'inserzione', quando parliamo di annunci economici o di un' 'inserzione pubblicitaria'; da 'atterrare' avremo 'atterraggio di un aereo' ma 'atterramento di un pugile'.

Un problema diverso è quello di aggettivi che, legati alla stessa area semantica, vengono derivati da basi diverse, una delle quali, di origine classica (greca o latina): 'cittadino' indica qualcosa o qualcuno collegato a 'città' ('strada cittadina', 'traffico cittadino', etc.), ma gli scarti, i rifiuti dei cittadini, sono 'rifiuti urbani' (da urbis, parola latina per 'città') e non *rifiuti cittadini.

Molto frequenti sono le parole formate con -bile, suffisso che si combina di regola con un verbo ('storia credibile', 'progetto realizzabile', etc.) per indicare che 'quella determinata cosa si può fare' (in questo caso credere e realizzare); raramente invece si unisce a un nome ('libro tascabile', cioè 'che può essere portato in tasca', 'strada camionabile', 'che è praticabile dai camion').

Antonimia

Sinonimia

Intensità

Collocazione

Polisemia

Inclusione

Connotazione

Metafora

Derivazione

Derivazione

Antonimia

Sinonimia

Intensità

Collocazione

Polisemia

Inclusione

Connotazione

Metafora

Derivazione

Residui e prestiti

1 Completate le seguenti espressioni con l'aggettivo corrispondente a quanto espresso tra parentesi usando i seguenti suffissi.

-ale	-ano/a	-ante	-ario/a	-ato/a
-ente	-esco/a	-ivo/a	-oso/a	-uto/a

1. (che ha fortuna)   Ragazza _____
2. (da fiaba)   Atmosfera _____
3. (con i ricci)   Capigliatura _____
4. (del paese)   Fiera _____
5. (che pratica uno sport)   Ragazzo _____
6. (che incoraggia)   Risultato _____
7. (che procura vantaggio)   Soluzione _____
8. (che diffida)   Persona _____
9. (da pazzi)   Confusione _____
10. (delle ferrovie)   Orario _____
11. (della posta)   Cassetta _____
12. (con la barba)   Uomo _____
13. (a fiori)   Stoffa _____
14. (dello Stato)   Impiegato _____
15. (che resiste)   Materiale _____
16. (dell'industria)   Prodotto _____
17. (che assorda)   Rumore _____
18. (di spirito)   Battuta _____
19. (di centro)   Posizione _____
20. (che pesa)   Valigia _____
21. (con molto traffico)   Strada _____
22. (con molte nuvole)   Cielo _____
23. (della nazione)   Inno _____
24. (che taglia)   Lama _____

2 Completate le frasi seguenti con il sostantivo o aggettivo che è nascosto nella parola sottolineata.

1. Sono affamato. Ho proprio una gran __*fame*___.
2. Ho accorciato il vestito e purtroppo ora è troppo _____.
3. Dicono che allargheranno di nuovo la strada ... a me sembra già sufficientemente _____!
4. Sei dimagrita troppo! Così sei troppo _____.
5. Non ti trovo ingrassato né ti ho mai visto _____.
6. Ernesto mi ha fatto veramente arrabbiare. Solo a vederlo mi verrà un nuovo attacco di _____.
7. Si è arricchito in poco tempo. Dio solo sa come avrà fatto a diventare così _____!

8. Le giornate si stanno <u>allungando</u> rapidamente. Rispetto a un mese fa, ora sono molto più _____.
9. Il brodo si è <u>raffreddato</u>. Non mi piace così _____.
10. Negli ultimi tempi Raffaele mi sembra <u>ringiovanito</u>! Non sembra anche a te molto più _____ ?
11. Quel ciclista è molto <u>affaticato</u>. Fa _____ a stare con il gruppo.
12. Perché sei così <u>accaldato</u>? Non mi pare che faccia _____.
13. Queste camicie sono <u>ingiallite</u>. Non so come fare per togliere il _____.
14. È <u>invecchiato</u> improvvisamente. Ora si comporta da _____.
15. L'aereo si sta <u>avvicinando</u> rapidamente. È sempre più _____!
16. Non lavare il golf in acqua calda. Si <u>restringerà</u> e diventerà troppo _____.

3 *Nel derivare una parola spesso è necessario modificare la parola 'di partenza'. Completate le espressioni seguenti con l'aggettivo corrispondente a quanto espresso tra parentesi.*

1. (di scuola)   Libro _____
2. (con i fiori)   Decorazione _____
3. (di città)   Strada _____
4. (con molto caos)   Traffico _____
5. (per l'estate)   Vestito _____
6. (che soffre il freddo) Persona _____
7. (del fiume)   Detrito _____
8. (ad ogni mese)   Rata _____
9. (dei figli)   Affetto _____
10. (di crisi)   Momento _____

4 *Con i suffissi che seguono, dai verbi dati formate i nomi appropriati ai minicontesti.*

-aggio
-ione
-mento
-ura

1. Insegnare   *L'insegnamento*   della storia
2. Circolare   _____   del sangue
3. Regolare   _____   dei conti
4. Atterrare   _____   dell'aereo
5. Cuocere   _____   della bistecca
6. Punire   _____   dei colpevoli
7. Lavare   _____   dell'automobile
8. Realizzare   _____   del progetto
9. Riciclare   _____   dei rifiuti
10. Chiudere   _____   dei negozi
11. Riparare   _____   del guasto
12. Discutere   _____   del tema
13. Cambiare   _____   del percorso
14. Distruggere _____   delle prove
15. Aprire   _____   del cancello
16. Scrivere   _____   della lettera

5 Le coppie di sostantivi date tra parentesi hanno origine dalla stessa base. Scegliete fra i due sostantivi proposti quello che si può collocare con il mini-contesto dato.

1. (trattamento / trattazione) _____ di bellezza

2. (concentramento / concentrazione) campo di _____

3. (indicatore / indicazione) _____ stradale

4. (chiarezza / chiarimento) _____ dell'equivoco

5. (previdenza / previsione) _____ del tempo

6. (attaccamento / attaccatura) _____ della manica

7. (collocazione / collocamento) ufficio di _____

8. (mantenimento / manutenzione) _____ delle strade

9. (salvezza / salvataggio) cintura di _____

10 . (sollevamento / sollevazione) _____ popolare

11. (dispositivo / disposizione) _____ di sicurezza

12. (fissaggio / fissazione) _____ del colore

6 Collegate gli aggettivi della colonna **A** con i corrispondenti sostantivi della colonna **B** dai quali in apparenza sembrano così diversi.

	A		**B**	
1.	eburneo	guerra		A
2.	mnemonico	colore		B
3.	onirico	memoria		C
4.	cromatico	bocca		D
5.	bellico	gara		E
6.	aureo	sogno		F
7.	orale	avorio		G
8.	agonistico	oro		H

Risposte:

_1G_/ ___/ ___/ ___/ ___/ ___/ ___/ ___/

Antonimia

Sinonimia

Intensità

Collocazione

Polisemia

Inclusione

Connotazione

Metafora

Derivazione

Residui e prestiti

7 *Collegate gli aggettivi della colonna* **A** *con i corrispondenti sostantivi della colonna* **B** *dai quali in apparenza sembrano così diversi.*

A		B		Risposte	
1.	idrico	pesce	A	*1*	*c*
2.	urbano	bambino	B		
3.	rurale	acqua	C		
4.	infantile	lettera	D		
5.	zoologico	città	E		
6.	epatico	campagna	F		
7.	ittico	animale	G		
8.	epistolare	fegato	H		

8 *Completate le frasi che seguono con gli aggettivi appropriati scelti fra quelli dati.*

1. *fluida/fluente*
   a. Portava una capigliatura _____ sulle spalle.
   b. La maionese non è riuscita bene: è troppo _____.

2. *flessibile/flessuoso*
   a. È sempre molto _____ nei movimenti.
   b. Sarà facile convincerlo: ha un carattere _____.

3. *specifico/speciale*
   a. Vorrei capire il motivo _____ del suo risentimento.
   b. Mario è _____ nel creare confusione.

4. *gelata/gelida*
   a. In estate fa piacere una bibita _____.
   b. C'è sempre un'atmosfera _____ in quella casa.

5. *economa/economica*
   a. Carla non compra mai nulla di superfluo: è molto _____.
   b. È un libro in edizione _____

6. *ostico/ostile*
   a. Quest'argomento mi è sempre stato molto _____.
   b. Ho sentito uno sguardo _____ appena sono entrato.

7. *originale / originario*
   a. Devi presentare il documento _____, non la fotocopia.
   b. Daniele è _____ di Venezia.

8. *ferrata / ferrea*
   a. Camilla è davvero _____ in matematica.
   b. Da giovane avevo una memoria _____.

Derivazione

9 Completate le frasi con l'aggettivo appropriato scelto fra quelli dati.

1. Fra la posizione di Lucio e quella di Guido c'è un contrasto _____.

   stridulo / stridente

2. Stefano non pensa mai abbastanza prima di agire. Prende spesso decisioni _____.

   avventurose / avventate

3. Questo sciroppo è molto _____ per la tosse.

   efficace / effettivo

4. Riccardo si è messo a completa disposizione: è proprio una persona _____.

   generosa / generica

5. Il vestito non ti sta bene: è troppo _____ .

   aderente / adesivo

6. D'inverno, fa piacere una minestra _____.

   fumosa / fumante

7. Abbiamo partecipato a una seduta _____.

   spiritica / spiritosa

8. Ho tagliato le cipolle e ora ho gli occhi tutti _____.

   lacrimevoli / lacrimosi

10 Completate le frasi con l'aggettivo appropriato scelto fra le coppie date.

1. Ruggero è molto _____: trova sempre qualcosa da fare.

   operoso / operativo

2. È stata una serata veramente _____.

   barbuta / barbosa

3. Nei suoi racconti Carlo è sempre molto _____ .

   fantasioso / fantastico

4. Ha un attaccamento _____ per sua madre.

   morboso / morbido

5. Il sabato non è considerato giorno _____ a tutti gli effetti.

   festoso / festivo

Antonimia

Sinonimia

Intensità

Collocazione

Polisemia

Inclusione

Connotazione

Metafora

Derivazione

Residui e prestiti

6. Guido è cugino _____ di Arnaldo.
    carnoso / carnale

7. Prima della gara devi fare un pasto leggero ma _____ .
    sostanzioso / sostanziale

8. Il dibattito si è fatto man mano più _____ .
    animoso / animato

11 *Completate le frasi con il nome appropriato scelto fra quelli dati.*

1. *interrogazioni o interrogativi ?*
    Purtroppo non è andato bene nelle ultime _____ di storia.

2. *tentazione o tentativo ?*
    Che _____! Ma sì, vengo al cinema anch'io!

3. *accorgimento o accortezza ?*
    Nelle sue cose Luigi si muove sempre con _____ .

4. *sentimento o sensazione ?*
    Ha fatto grande _____ la notizia del fallimento di quella ditta.

5. *preventivi o prevenzioni ?*
    La signora Fantina è piena di _____ nei confronti di tutti.

6. *esperienza o esperimento ?*
    Gabriella è una persona di grande _____ .

7. *disponibilità o disposizione ?*
    È generoso. Mette sempre a _____ tutto ciò che ha.

8. *potenza o potere ?*
    Per trainare quel carico ci vuole un motore di grande _____ .

12 *Completate le frasi in modo appropriato con uno solo degli aggettivi dati.*

1. È un argomento ____
    a. spinale
    b. spinoso
    c. spinato

2. La segretaria è davvero molto ____
    a. efficiente
    b. effettiva
    c. efficace

3. Sono arrivati in tempo perché la loro è stata una decisione ____
    a. tempestiva
    b. temporale
    c. temporanea

Derivazione

Antonimia

Sinonimia

Intensità

Collocazione

Polisemia

Inclusione

Connotazione

Metafora

Derivazione

Residui e prestiti

4. Va avanti da sempre: è un problema ____

    a. annoso
    b. annuale
    c. annuo

5. Il paziente è stato portato di urgenza in sala ____

    a. operativa
    b. operosa
    c. operatoria

6. La città è paralizzata dallo sciopero ____

    a. generale
    b. generico
    c. generoso

7. Ciro solleva un quintale senza problemi: è molto _____

    a. forzoso
    b. forzuto
    c. forzato

8. Al gioco l'avv. Di Giuseppe è sempre molto ____

    a. fortunoso
    b. fortunato
    c. fortuito

13 *Tenendo presente le parole sottolineate, completate i dialoghi con l'aggettivo in -abile o -ibile appropriato.*

Esempio: *Da qui, puoi <u>raggiungere</u> la stazione in cinque minuti a piedi.*
                Non pensavo che fosse <u>raggiungibile</u> in così poco tempo!

                Questo pane è così duro che <u>non</u> si può <u>mangiare</u>.
                Che esagerato! È duro ma non <u>immangiabile</u>.

1. - Andiamo via! <u>Non sopporto</u> questo chiasso!
   - Anche per me è proprio un chiasso _____ !

2. - Guarda come è piccolo! Te lo puoi portare <u>in tasca</u>!
   - Non avevo mai visto prima un televisore _____ !

3. - <u>Non</u> riesco a <u>credere</u> a quanto racconta Silvia!
   - La sua è una storia davvero _____ !

4. - Perché non provi a <u>lavare</u> la parete con l'acqua?
   - Non credo che la tinta sia _____ .

5. - Che bella giornata! <u>Non</u> me la <u>dimenticherò</u> mai!
   - Anche per me è stata davvero _____ !

6. - Pensi che si possano <u>riciclare</u> anche le lattine di alluminio?
   - Sì. Ormai sono molte le sostanze _____ .

7. - Ti dispiace se <u>apro</u> il tetto?
   - Figurati! Non sapevo che la macchina avesse il tetto _____ .

8. - È meglio <u>trascurare</u> i dettagli per ora.
   - Non sono d'accordo. Questo non è un dettaglio _____ .

14 *Collegate le espressioni della colonna* **A** *con gli aggettivi della colonna* **B** *che, pur apparendo diversi, esprimono lo stesso significato della parte sottolineata.*

	A		B	
1.	persona che si adira facilmente	solubile	A
2.	macchia che non si può cancellare	combustibile	B
3.	materiale che può essere bruciato	memorabile	C
4.	liquido che può prendere fuoco	irascibile	D
5.	polvere che si può sciogliere	commestibile	E
6.	sostanza che si può mangiare	infiammabile	F
7.	giornata degna di essere ricordata	potabile	G
8.	acqua che si può bere	indelebile	H

Risposte:

1D / ____ / ____ / ____ / ____ / ____ / ____ / ____ /

10. Residui e prestiti

10. RESIDUI e PRESTITI

L'italiano, più di altre lingue, è ancora infarcito di latino: parole o espressioni latine sono usate quotidianamente in mille diverse occasioni non solo da persone colte ma anche da chi non ha studiato molto. Ad esempio, se stiamo parlando di un amico, e questi improvvisamente ci raggiunge, per far capire che stavamo parlando proprio di lui possiamo esclamare: 'lupus in fabula!'. Quando si vuole mettere insieme una certa somma per comprare un regalo si mette un 'tot' (un tanto) 'pro capite' (a testa), cioè ciascuno dei partecipanti alla colletta verserà una certa cifra. Nella vita di tutti i giorni ci preoccupiamo per l''una tantum' (una volta soltanto), tassa straordinaria che paghiamo certamente 'obtorto collo', (malvolentieri), imposta per sanare il 'deficit' (bilancio negativo) dello Stato; l'assicuratore viene a offrirci una polizza-auto 'bonus-malus' (buono-cattivo) che, se non avremo incidenti nel corso dell'anno, ci costerà sempre di meno. Qualsiasi tipo di elezione è valida solo se si raggiunge il 'quorum' dei votanti (il numero minimo stabilito per legge); alcune persone godono di privilegi concessi loro 'ope legis' (grazie a leggi 'ad hoc', cioè fatte apposta); l'ente comunale 'Pro loco' (a favore del luogo) organizza manifestazioni culturali e sportive per gli abitanti o gli ospiti del paese; in ufficio riceviamo o inviamo dei 'pro-memoria' (per la memoria) su argomenti rilevanti; all'università gli studenti e i professori si riuniscono in 'aula magna' (aula grande) in occasioni di lauree 'honoris causa' (per motivi di onore) concesse a eminenti studiosi; chi non sa rinunciare a un divertimento spesso si giustifica con un 'carpe diem' (cogli l'occasione); nei libri, infine, nella sezione 'errata corrige' (correggi gli errori) troviamo la versione giusta di parole o frasi eventualmente sbagliate. Et cetera (e altre cose).

Oltre a conservare gli elementi ereditati dal latino, la nostra lingua si arricchisce di continuo di nuovi vocaboli. Da dove provengono? Sono presi in prestito da altre lingue. Come già nel passato, parole straniere diventano a tutti gli effetti parte del nostro patrimonio lessicale e in un certo senso vengono 'italianizzate'. In questo processo di radicamento nel nostro lessico, alcune subiscono trasformazioni. Ad esempio, soprattutto quelle che provengono dall'inglese, sono usate al singolare, cioè senza le marche morfologiche del plurale della lingua originaria, 'I moon-boot (un tipo di stivali dopo-sci) sono molto comodi', 'Camilla e Giulia fanno le <u>baby-sitter</u>'; viene anche arbitrariamente attribuito loro un 'genere' grammaticale (la 'suspence', il 'week end'), ma, soprattutto, ad alcune viene dato un significato del tutto nuovo: 'body' (corpo) e 'slip' (sottoveste) nell'uso italiano significano 'guaina leggera aderente al corpo' e 'mutande'; infine, ad un certo numero di parole composte ('beauty case', 'pony express', etc.), viene tagliato l'ultimo elemento (che in inglese è il più importante), cosicché la parola assume un significato del tutto diverso da quello che ha nella lingua originaria: 'beauty' (bellezza), e 'pony' (cavallino) in italiano indicano 'la valigetta porta cosmetici' e 'il ragazzo che in motorino si sposta da un luogo all'altro della città per recapitare la corrispondenza'.

Qualche prestito entra nell'uso per colmare lacune del lessico italiano: tralasciando tutti i termini legati all'informatica e alla tecnologia che denotano oggetti o concetti nuovi, dall' inglese provengono 'best seller' (libro che ha avuto successo commerciale), dal francese 'tour de force' (impegno concentrato nel tempo per ottenere un determinato risultato), dal tedesco 'kitsch' (di cattivo gusto), dallo spagnolo 'golpe' (rovesciamento del governo legale di uno stato), dal russo 'glasnost' (trasparenza nella gestione o negli affari), etc..

Più numerose sono le parole straniere che usiamo per una sorta di pigrizia linguistica, per moda, esibizionismo o altro: conserviamo i cibi nel 'freezer' (e non nel congelatore), facciamo un 'check up' (e non un controllo medico), all'aeroporto ci registriamo al 'check in' (e non all'accettazione), lavoriamo 'full time' (e non a tempo pieno), guardiamo una 'telenovela' (e non un teleromanzo), ordiniamo un 'frappé' (e non un frullato), chiediamo 'pardon' (e non scusa) e, 'dulcis in fundo', cioè per finire con qualcosa di dolce, mangiamo un 'bonbon' (e non un confetto).

Antonimia

Sinonimia

Intensità

Collocazione

Polisemia

Inclusione

Connotazione

Metafora

Derivazione

Residui e prestiti

Antonimia

Sinonimia

Intensità

Collocazione

Polisemia

Inclusione

Connotazione

Metafora

Derivazione

1 Completate correttamente le frasi della colonna **A** con le comunissime espressioni latine della colonna **B**.

A	B	
1. Il concerto era bellissimo e noi abbiamo chiesto un	gratis	A
2. Non capisco per niente la questione: è un vero	vademecum	B
3. Se non è possibile fare niente, allora		
4. Non era questo che volevo dire; è stato un	placet	C
5. La prima domenica del mese l'ingresso ai musei è	bis	D
6. Oltre alla stanza e alla colazione ci sono da pagare gli	extra	E
7. Non è possibile entrare nel castello se il proprietario non dà il	factotum	F
8. Non so rispondere se non posso consultare il mio	sinecura	G
9. Non ho parlato con il direttore ma solo con il suo	amen	H
	rebus	I
10. Non è affatto un incarico difficile; anzi è proprio una	lapsus	L

2 Ciascuna delle coppie qui date è formata da un'espressione italiana e dalla corrispondente espressione latina. Completate le frasi che seguono con l'espressione appropriata a vostra scelta.

a tempo determinato / pro tempore	a
in provetta / in vitro	b
nel passato / in illo tempore	c
a pari merito / ex aequo	d
all'ultimo momento / in extremis	e
a suo vantaggio / pro domo sua	f
meglio / non plus ultra	g
incapace / minus habens	h

1. In quel negozio vendono il _____ della tecnologia.

2. Il signor Massafra è stato eletto presidente _____ .

3. La questione si è risolta _____ grazie all'intervento del ministro.

4. La fecondazione _____ pone molti problemi morali.

5. La nonna di Giulio parla sempre di cose accadute _____ .

6. Ho grande difficoltà a lavorare con Ugo: è proprio un _____ .

7. Le proposte che fa l'amministratore sono sempre _____ .

8. Marco e Roberto hanno vinto il primo premio _____ .

3 *Nelle frasi che seguono inserite negli spazi vuoti le espressioni latine appropriate scegliendole fra le seguenti.*

> aut aut / carpe diem /
> casus belli /
> conditio sine qua non /
> do ut des / mea culpa /
> modus vivendi /
> qui pro quo / sine die /
> via crucis

1. È stata un'esperienza molto dolorosa: una vera _____

2. Non immaginavo che le cose andassero così male: ho sbagliato e devo fare il _____

3. Quei due sono sempre a litigare: non riescono a trovare un _____

4. Non capisco perché si sono arrabbiati tanto: ci deve essere stato un _____

5. Vuole che io scelga fra lui e la mia famiglia, ma io odio gli _____

6. In cambio di qualsiasi favore vuole altri favori: crede che la vita sia tutta un _____

7. Non stare in ansia per il futuro, goditi la vita e _____

8. Non si sa ancora quando avrà luogo la riunione: è stata rimandata _____

9. Se vuoi partire, prima devi assolutamente sistemare quella faccenda: è una _____

10. Mi dispiace che di quella piccola questione si sia fatto un _____

4 *Spesso usiamo parole inglesi al posto di quelle italiane. Sostituite le parole sottolineate con espressioni o parole italiane scelte fra le seguenti.*

> a tempo pieno / campeggio / capo / dirigente /
> intervallo / panino / primato / primo ministro /
> spettacolo / scatto / centro commerciale / incontro

1. Aveva fame e si è mangiato un <u>sandwich</u>. (_____)

2. E' molto conveniente fare la spesa nel nuovo <u>shopping center</u> di via Aurelia.
   (_____)

3. Chi riuscirà a battere il <u>record</u> di immersione in apnea? (_____)

4. Giuliano ha conosciuto Rosalba al <u>camping.</u> (_____)

5. E' stato un <u>match</u> molto appassionante. (_____)

6. Mario ha un contratto di lavoro <u>full time</u>. (_____)

7. Vittorio ha fatto una bella carriera: ora è un <u>manager</u> molto
   apprezzato. (_____)

8. Ci sarà un <u>break</u> di un quarto d'ora fra le due conferenze. (_____)

9. La polizia ha arrestato il <u>boss</u> di una banda di falsari. (_____)

10. Il presentatore dello <u>show</u> televisivo del sabato sera è bravissimo. (_____)

11. Il <u>Premier</u> italiano ha incontrato i colleghi europei per discutere problemi
    monetari. (_____)

12. Il vincitore della gara ha fatto uno <u>sprint</u> finale formidabile. (_____)

Antonimia

Sinonimia

Intensità

Collocazione

Polisemia

Inclusione

Connotazione

Metafora

Derivazione

Residui e prestiti

5 Nella colonna **B** vi sono parole inglesi che in italiano hanno assunto un significato diverso. Completate le frasi della colonna **A** con la parola appropriata.

	A		B	
1.	Da Villa San Giovanni parte un _____ per la Sicilia ogni mezz'ora.	compact	A
2.	Questa sera ci vogliamo divertire, perché non andiamo al _____ ?	beauty	B
3.	I giocatori di _____ sono di solito tutti molto alti.	rock	C
4.	Lucia tiene tutto l'occorrente per il trucco nel _____ .	jolly	D
5.	Alle cassette o agli LP preferisco i _____ .	ferry	E
6.	Franco è sempre fortunato a carte! Anche questa volta ha in mano un _____ .	strip	F
7.	Sta tornando di moda il _____ anni Sessanta.	jet	G
8.	I _____ sono libri economici.	basket	H
9.	L'ing. Sani è andato a Parigi con il _____ privato della sua società.	pocket	I
10.	In quel locale ci sono ragazze che fanno lo _____ .	night	L

6 Completate le frasi seguenti con le parole o espressioni francesi sotto elencate ormai entrate nell'uso comune italiano .

> choc / croissant / dépliant / double-face /
> en plein / équipe / parure / pied à terre / pochette/
> revers / tête à tête / tournée

1. I loro incontri sono sempre dei _____ molto romantici.

2. Non è un vero appartamento, è solo un _____ .

3. Passi tu all'agenzia a prendere un _____ sulle isole Eolie?

Antonimia
Sinonimia
Intensità
Collocazione
Polisemia
Inclusione
Connotazione
Metafora
Derivazione

4. Con Gino, Michele e Sandra si lavora bene in _____.

5. Adoro fare colazione con un cappuccino e un _____ caldo.

6. Da quella brutta avventura Antonio è uscito in stato di _____ .

7. L'impermeabile si può indossare anche a rovescio: è _____ .

8. Gli atleti cinesi hanno vinto tutto: hanno fatto un vero _____ .

9. Per le occasioni eleganti vorrei comprarmi una _____ in velluto nero.

10. La Compagnia del Teatro alla Scala tutti gli anni va in _____ .

11. Ho comprato una giacca rossa con i _____ di raso.

12. All'asta un milanese ha comprato una stupenda _____ di brillanti .

7 *Completate le frasi con una delle seguenti parole straniere (francesi, spagnole e tedesche) molto usate nella lingua di tutti i giorni.*

> *blitz / bunker / dessert / dossier / golpe /*
> *hinterland / leit motiv / necessaire / parquet / pivot /*
> *soufflé / telenovela*

1. La loro complicatissima storia d'amore sembra proprio una _____.

2. "Che cosa prendono i signori per _____?" chiese il cameriere.

3. Una canzone di Dalla è il _____ dell'ultimo film di Pupi Avati.

4. Conosci la ricetta del _____ di patate?

5. Dopo che hanno blindato le porte la loro non è più una casa, è un _____ .

6. Quel giocatore è il _____ della squadra.

7. La segretaria ha messo tutte le tue pratiche in un unico _____ .

8. Si teme un _____ da parte dell'opposizione.

9. La polizia ha effettuato un _____ e ha arrestato il capo della banda.

10. I Masini hanno restaurato la casa: hanno messo dappertutto il _____ .

11. Vorrei tagliarmi le unghie ma ho dimenticato il _____ .

12. Giovanni non abita più in città: è andato a vivere nell'_____ milanese.

8 *Alcune parole inglesi sono usate in italiano con un significato completamente diverso da quello che hanno nella lingua originale. Completate le frasi con la parola appropriata scelta fra le seguenti.*

1. Fa molto freddo oggi. Se esci mettiti il _____ .

2. Vorrei un _____ al prosciutto e formaggio.

3. La sera di Capodanno porta fortuna mettere un paio di _____ rossi.

flipper / slip / smoking / montgomery / spot / stop / ticket / toast / body / tight

4. Molti registi famosi girano anche _____ pubblicitari.

5. Nelle sale dei videogiochi ci sono molti _____ .

6. La sposa era in abito bianco lungo e lo sposo indossava il _____ .

7. D'estate Grazia porta un _____ di cotone, in inverno lo porta di lana.

8. In Italia le medicine non sono gratis: si paga un _____ .

9. Rinaldo è andato a una festa molto elegante: tutti i ragazzi erano in _____ .

10. Devo cambiare una lampadina: non funziona lo _____ destro della macchina.